KB077195

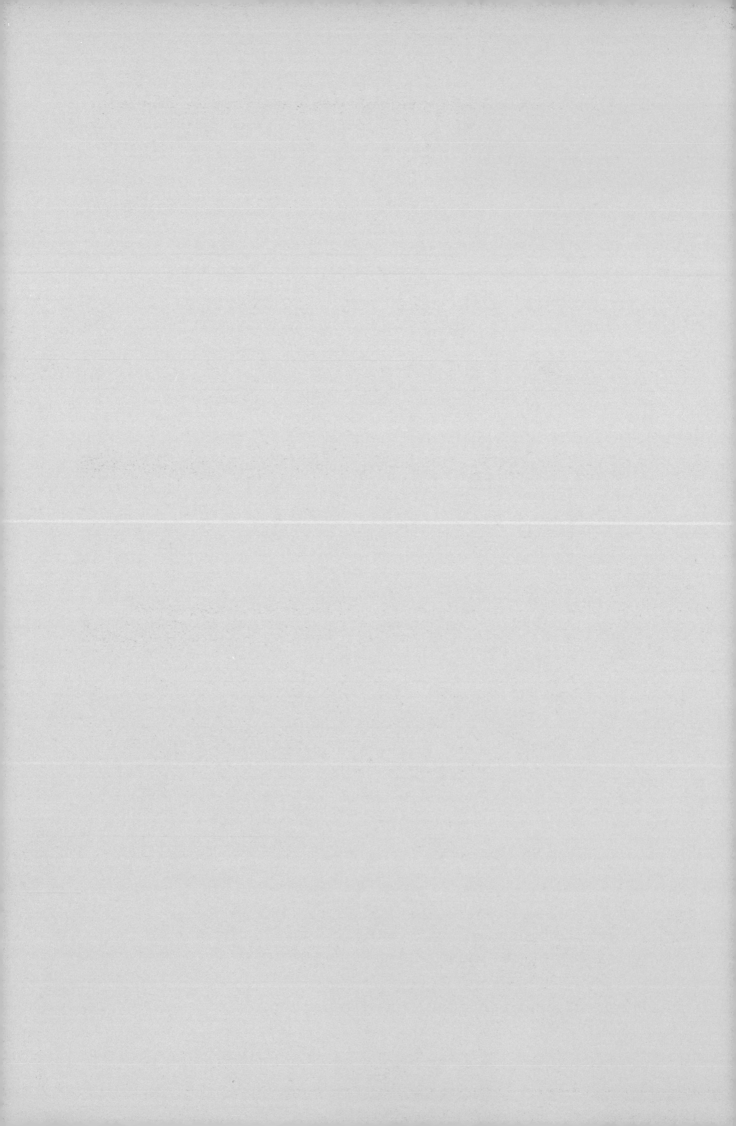

편입수학만을 위한 스킬편입수학교재

편입수학
다변수 적분학
(중적분)

skill-math

스킬편입수학
연구소

편입수학- 다변수적분학(중적분)

발 행 | 2024년 2월 14일
저 자 | 스킬편입수학 연구소
펴낸이 | 한건희
펴낸곳 | 주식회사 부크크
출판사등록 | 2014.07.15.(제2014-16호)
주 소 | 서울특별시 금천구 가산디지털1로 119 SK트윈타워 A동 305호
전 화 | 1670-8316
이메일 | info@bookk.co.kr

ISBN | 979-11-410-7165-3

\<중적분\>

*이중적분 : 영역 D에서 함수 $f(x,y)$와 둘러싸인 입체의 부피

*이중적분의 표현 : $\displaystyle\int\int_D f(x,y)dxdy$

● 이중적분의 성질

① $\displaystyle\int\int_D [f(x,y)dxdy + g(x,y)dxdy] = \int\int_D f(x,y)dxdy + \int\int_D g(x,y)dxdy$

② $\displaystyle\int\int_D cf(x,y)dxdy = c\int\int_D f(x,y)dxdy$ (c는 상수)

③ $D = D_1 \cup D_2$ 일 때, $\displaystyle\int\int_D f(x,y)dA = \int\int_{D_1} f(x,y)dA + \int\int_{D_2} f(x,y)dA$

④ $\displaystyle\int\int_D C dxdy = C \times D$의 넓이 ($C$는 상수)

1) $\int_0^1 \int_0^x x \, dy dx$

$Ans. \dfrac{1}{3}$

2) $\int_{-1}^2 \int_{2x^2-2}^{x^2+x} x \, dy dx$

$Ans. \dfrac{9}{4}$

3) $\int_e^1 \int_{x^2}^x \dfrac{x}{y} \, dy dx$

$Ans. \dfrac{e^2+1}{4}$

4) $\int_1^2 \int_0^{\ln y} e^{-x} \, dx \, dy$

$Ans. -\ln 2 + 1$

5) $\int_0^1 \int_0^{x^2} e^{\frac{y}{x}} dy dx$

$Ans. \dfrac{1}{2}$

6) $\int_0^{\ln 2} \int_0^2 xy e^{xy^2} dy dx$

$Ans. \dfrac{1}{2}\left(\dfrac{15}{4} - \ln 2\right)$

7) $\int_0^\pi \int_0^{\cos\theta} r\sin\theta \, dr d\theta$

$Ans. \dfrac{1}{3}$

8) $\int_1^2 \int_0^x \dfrac{1}{\sqrt{x^2 + y^2}} \, dy \, dx$

$Ans. \ln(\sqrt{2} + 1)$

> * 푸비니 정리
>
> $$\int_a^b \int_c^d f(x)g(y)\,dxdy = \int_c^d f(x)dx \times \int_a^b g(y)dy$$

9) $\displaystyle\int_0^\pi \int_0^{\frac{\pi}{2}} \cos x \cos y \, dydx$

$Ans. 0$

10) $\displaystyle\int_0^1 \int_0^x (x^2 + y^2) \, dydx$

$Ans. \dfrac{1}{3}$

11) $\displaystyle\int_0^1 \int_0^\infty e^{-x-y} \, dxdy$

$Ans. 1 - \dfrac{1}{e}$

12) $\displaystyle\int_0^\pi \int_1^2 y\sin(xy) \, dx\,dy$

$Ans. 0$

13) $\int_{-3}^{3}\int_{0}^{\frac{\pi}{2}}(y+y^2\cos x)dxdy$의 값은?

① 12   ② 14   ③ 16   ④ 18   ⑤ 20

*Ans.*④

14) $D=\left\{(x,y)|0\le x\le cosy, 0\le y\le\frac{\pi}{2}\right\}$일 때 $\int\int_{D}x\,siny\,dydx$를 구하시오.

Ans. $\dfrac{1}{6}$

15) $D=\left\{(x,y)|0\le x\le 1, 0\le y\le\sqrt{1-x^2}\right\}$일 때, $\int\int_{D}xy\,dA$를 구하시오.

Ans. $\dfrac{1}{8}$

16) $D=(0,0),(1,0),(0,1)$을 꼭지점으로 하는 삼각형의 내부일 때, $\int\int_{D}xy\,dxdy$를 구하시오.

Ans. $\dfrac{1}{24}$

17) $y = x$와 $y = x^2$으로 둘러싸인 영역에서 함수 $f(x,y) = x$의 적분값을 구하시오.

$Ans. \dfrac{1}{12}$

18) $D = \{(x,y) \mid \dfrac{-1}{2} \leq x \leq \dfrac{1}{2},\ y > 0,\ x^2 + y^2 \geq 1\}$일 때, $\displaystyle\iint_D \dfrac{1}{y^2} dxdy$를 구하시오.

$Ans. \dfrac{\pi}{3}$

<적분순서 변경>

> * 이중적분의 적분순서 변경을 하는 이유 :
>
> 이중적분의 계산이 복잡하거나 이중적분이 불가할 때 쓴다.

1) $\displaystyle\int_0^1 \int_0^{x^2} f(x,y)\,dydx$의 적분순서를 변경하시오.

2) $\displaystyle\int_0^2 \int_{x^2}^{2x} f(x,y)\,dydx$의 적분순서를 변경하시오.

3) $\displaystyle\int_0^2 \int_{x^2-1}^{2x-1} f(x,y)\,dydx$의 적분순서를 변경하시오.

4) $\displaystyle\int_0^1 \int_0^x dydx + \int_1^2 \int_0^{2-x} dydx = \iint_D dxdy$를 구하시오.

$Ans. \displaystyle\int_0^1 \int_y^{2-y} 1\,dxdy$

5) $\displaystyle\int_0^1\int_y^1 e^{-x^2}dxdy$

$Ans.\ \dfrac{1-e^{-1}}{2}$

(17 숙명여대)

6) 반복적분 $\displaystyle\int_0^1\int_{\sqrt{x}}^1 5\pi x\sin(\pi y^5)dydx$의 값은?

① -2 ② -1 ③ 0 ④ 1 ⑤ 2

$Ans.$ ④

7) $\displaystyle\int_0^1\int_0^{2x} ye^{x^3}dydx$

$Ans.\ \dfrac{2(e-1)}{3}$

8) $\displaystyle\int_0^1\int_{\sqrt{x}}^1 (1+7y^3)^{\frac{1}{3}}dydx$

$Ans.\ \dfrac{15}{28}$

9) $\int_0^{\frac{\pi}{2}} \int_y^{\frac{\pi}{2}} \frac{\cos x}{x} dx dy$

Ans. 1

10) $\int_0^3 \int_{y^2}^9 y \sin(x^2) dx dy$

Ans. $\dfrac{-(\cos 81 - 1)}{4}$

11) $y = x^2$, $y = 0$, $x = 1$로 둘러싸인 영역을 D라 할때, $\displaystyle\int\int_D e^{\frac{y}{x}} dx dy$를 구하시오.

Ans. 1/2

12) $\int_0^1 \int_{2y}^2 \sqrt{4-x^2}\,dxdy$

Ans. $4/3$

13) $\int_0^1 \int_{x^2}^1 \dfrac{x^3}{\sqrt{x^4+y^2}}\,dydx$

Ans. $\dfrac{\sqrt{2}}{4} - \dfrac{1}{4}$

14) $\int_0^2 \int_0^2 |y-1|\,dydx$

Ans. 2

15) 영역 $D = \{(x,y) | 1 \leq y \leq 2,\ 0 \leq x \leq 2y\}$일 때, $\displaystyle\int\int_D x^3 y\, dx\, dy$ 를 구하시오.

*Ans.*42

16) 영역 $D = \left\{(x,y) | 0 \leq y \leq cosx,\ 0 \leq x \leq \dfrac{\pi}{2}\right\}$일 때, $\displaystyle\int\int_D y sinx\, dx\, dy$ 를 구하시오.

*Ans.*1/6

17) 영역 D는 점 $(0,0), (1,0), (1,1)$을 세 꼭짓점으로 갖는 삼각형의 내부이다.

이 때, $\displaystyle\int\int_D xy\, dA$의 값은?

*Ans.*1/8

18) 평면 위의 영역 R은 두 곡선 $y^2 = x - 1$과 $y = x - 3$으로 둘러싸인 영역이다. 이 영역 R에 대하여 이중적분 $\iint_R y \, dA$ 의 값은?

$Ans. \dfrac{9}{4}$

19) 평면영역 $D = \{(x,y) | x \geq 0, y \leq 2, 2y \geq x\}$에서 $\iint_D (3x^2 - ay) dA = 0$일 때, 상수 a의 값은?

$Ans. 6$

20) 평면상의 곡선 $x = \sin y$와 두 직선 $y = \dfrac{\pi}{2}, x = 0$으로 둘러싸인 영역을 D라 할 때, $\iint_D x \cos y \, dx \, dy$를 구하시오.

$Ans. \dfrac{1}{6}$

(한양대)

21) 영역 $R = \{(x,y) | 0 \le 2x \le y \le \infty\}$에서 이중적분 $\displaystyle\iint_R \frac{1}{\theta_1\theta_2} e^{-\left(\frac{x}{\theta_1} + \frac{y}{\theta_2}\right)} dxdy$의 값은?
(단, $\theta_1, \theta_2 > 0$)

① $\dfrac{\theta_1}{2\theta_1 + \theta_2}$　② $\dfrac{\theta_2}{2\theta_1 + \theta_2}$　③ $\dfrac{\theta_1}{\theta_1 + 2\theta_2}$　④ $\dfrac{\theta_2}{\theta_1 + 2\theta_2}$

Ans. ②

(16숙명여대)

22) 적분 $\displaystyle\int_0^\infty \int_{-\sqrt{y}}^{\sqrt{y}} e^{-y} dxdy$의 값은?

① $\sqrt{\dfrac{\pi}{3}}$　　② $\sqrt{\dfrac{\pi}{2}}$　　③ $\sqrt{\pi}$　　④ $\sqrt{2\pi}$　　⑤ $\sqrt{3\pi}$

Ans. ③

23) $xy-$평면 위의 세 점 $(0,0), (1,1), (-1,1)$을 꼭짓점으로 갖는 삼각형의 내부영역에서 $f(x,y)=1$을 적분한 것으로 옳지 않은 것을 고르면?

① $\displaystyle\int_0^1\int_{-y}^{y}dxdy$ 　② $\displaystyle\int_{-1}^{1}\int_{-x}^{x}dydx$ 　③ $\displaystyle\int_{-1}^{0}\int_{-x}^{1}dydx+\int_0^1\int_x^1dydx$ 　④ 1

Ans. ②

(인하대)

24) 적분값 $\displaystyle\int_0^1\int_0^1|x-t|\,dxdt$을 구하면?

$Ans.\ \dfrac{1}{3}$

25) $\displaystyle\int_0^1\int_0^1 e^{|x-y|}dydx$의 값은?

$Ans.\ 2e-4$

26) $\int_0^1 \int_0^1 \frac{2y}{1+x^2} dxdy$와 다른 값을 갖는 이중적분은?

① $\int_0^{-1} \int_0^1 \frac{2y}{1+x^2} dxdy$ ② $\int_0^1 \int_0^{-1} \frac{2y}{1+x^2} dxdy$

③ $\int_0^1 \int_0^1 \frac{2y}{1+(1-x)^2} dxdy$ ④ $\int_0^1 \int_0^1 \frac{2(1-y)}{1+x^2} dxdy$

Ans. ②

27) 적분 $\int_0^1 \int_{\sqrt{x}}^1 x\cos\left(\frac{\pi}{2}y^5\right) dydx$ 의 값은?

① $\frac{\pi}{5}$ ② 5π ③ $\frac{5}{2\pi}$ ④ $\frac{1}{5\pi}$ ⑤ $\frac{2}{5\pi}$

Ans. ④

28) 다음 적분순서를 변경하시오. $\int_0^1 \int_0^{2x} f(x,y) dydx$

① $\int_0^2 \int_{\frac{y}{2}}^1 f(x,y) dxdy$ ② $\int_0^2 \int_{2y}^{y-1} f(x,y) dxdy$

③ $\int_0^1 \int_1^y f(x,y) dxdy$ ④ $\int_0^1 \int_{2y}^2 f(x,y) dxdy$

Ans. ①

29) 다음 적분 순서를 변경하시오. $\displaystyle\int_0^2 \int_{y^2}^4 f(x,y)\,dxdy = ?$

① $\displaystyle\int_0^4 \int_0^{x^2} f(x,y)\,dydx$ ② $\displaystyle\int_0^4 \int_0^{\sqrt{x}} f(x,y)\,dydx$

③ $\displaystyle\int_0^2 \int_0^{\sqrt{x}} f(x,y)\,dydx$ ④ $\displaystyle\int_0^2 \int_0^{x^2} f(x,y)\,dydx$

Ans. ②

30) 다음 반복적분의 적분순서를 바꾼 것은? $\displaystyle\int_0^2 \int_{y^2}^4 f(x,y)\,dxdy$

① $\displaystyle\int_{y^2}^4 \int_0^2 f(x,y)\,dydx$ ② $\displaystyle\int_0^4 \int_0^{\sqrt{x}} f(x,y)\,dydx$

③ $\displaystyle\int_0^4 \int_{\sqrt{x}}^2 f(x,y)\,dydx$ ④ $\displaystyle\int_0^4 \int_{x^2}^2 f(x,y)\,dydx$

Ans. ②

31) $\displaystyle\int_0^a \int_0^{\sqrt{x}} f(x,y)\,dydx$를 구하시오.

① $\displaystyle\int_0^{a^2} \int_{y^2}^a f(x,y)\,dxdy$ ② $\displaystyle\int_0^a \int_{\sqrt{y}}^a f(x,y)\,dxdy$

③ $\displaystyle\int_0^{\sqrt{a}} \int_{y^2}^a f(x,y)\,dxdy$ ④ $\displaystyle\int_0^a \int_{y^2}^{a^2} f(x,y)\,dxdy$

Ans. ③

32) $\displaystyle\iint_D f(x,y)\,dxdy = \int_0^1 \int_0^{2y} f(x,y)\,dxdy + \int_0^2 \int_1^{3-x} f(x,y)\,dydx$ 이 성립하는

닫힌 영역 D의 면적은?

*Ans.*3

33) $\displaystyle\int_{-3}^{-1} \int_{-\sqrt{2y+6}}^{\sqrt{2y+6}} e^{-x^2-y^4}\,dxdy + \int_{-1}^{5} \int_{y-1}^{\sqrt{2y+6}} e^{-x^2-y^4}\,dxdy = \int_a^b \int_{g(x)}^{f(x)} e^{-x^2-y^4}\,dydx$

가 되도록 $a, b, f(x), g(x)$를 정할 때, $a+b+f^{'}(1)+g^{'}(1)$은?

*Ans.*4

34) 반복적분에서 적분의 순서를 아래와 같이 바꿀 때, $a+b+c$의 값은?

$$\int_{-1}^{4}\int_{x^2-2}^{3x+2}e^{x^2+y^3}dydx = \int_{a}^{b}\int_{-\sqrt{y+2}}^{\sqrt{y+2}}e^{x^2+y^3}dxdy + \int_{b}^{c}\int_{\frac{y-2}{3}}^{\sqrt{y+2}}e^{x^2+y^3}dxdy$$

Ans. 11

다음을 적분하시오.

35) $\int_{0}^{1}\int_{y}^{1}e^{x^2}dxdy$

Ans. $\dfrac{e-1}{2}$

36) $\int_{0}^{1}\int_{2x}^{2}\sqrt{4-y^2}\,dydx$

Ans. $\dfrac{4}{3}$

37) $\int_0^9 \int_{\sqrt{y}}^3 e^{\frac{x^3}{3}} \, dx \, dy$

Ans. $e^9 - 1$

38) $\int_0^2 \int_x^2 2y^2 \sin xy \, dy \, dx$

Ans. $4 - \sin 4$

39) $\int_0^1 \int_{\sqrt{y}}^1 \sqrt{x^3 + 1} \, dx \, dy$

Ans. $\dfrac{2}{9}\left(2\sqrt{2} - 1\right)$

21아주

40) 아래 적분을 구하라.

$$\int_0^{\frac{\pi}{4}} \int_{\sqrt{y}}^{\frac{\sqrt{\pi}}{2}} \frac{y\cos(x^2)}{x^3} \, dx \, dy$$

① $\dfrac{1}{\sqrt{2}}$ ② $\dfrac{1}{4}$ ③ $\dfrac{1}{2\sqrt{2}}$ ④ $\dfrac{1}{8}$ ⑤ $\dfrac{1}{4\sqrt{2}}$

Ans. ⑤

21아주

41) 아래 적분의 값을 구하라.

$$\int_0^1 \int_{\sqrt[3]{x}}^1 \sqrt{1+y^4}\,dydx$$

① $\dfrac{1}{6}(\sqrt{2}-1)$ ② $\dfrac{1}{6}(2\sqrt{2}-1)$ ③ $\dfrac{1}{3}(\sqrt{2}-1)$ ④ $\dfrac{1}{3}(2\sqrt{2}-1)$ ⑤ $\dfrac{1}{3}$

42) $\displaystyle\int_0^4 \int_{\frac{x}{2}}^2 \frac{3y}{y^3+2}\,dydx$

Ans. $2\ln 5$

43) 반복적분 $\displaystyle\int_0^1 \int_x^1 e^{\frac{x}{y}}\,dydx$ 의 값은?

① $\dfrac{e+1}{2}$ ② $\dfrac{e-1}{2}$ ③ $e+1$ ④ $\dfrac{e-1}{3}$ ⑤ $\dfrac{e+1}{3}$

Ans. ②

44) $\displaystyle\int_0^1 \int_{e^x}^e \frac{1}{\ln y}\,dydx$

Ans. $e-1$

45) $\int_0^1 \int_{\sin^{-1}x}^{\frac{\pi}{2}} e^{\cos y} dy dx$

Ans. $e-1$

46) $\int_0^{a^2} \int_{\sqrt{x}}^{a} \frac{1}{y^3 + a^3} dy dx$

Ans. $\dfrac{\ln 2}{3}$

47) $\int_0^{2\sqrt{\ln 3}} \int_{\frac{y}{2}}^{\sqrt{\ln 3}} e^{x^2} dx dy$

Ans. 2

48) $\int_0^1 \int_{x^{\frac{1}{3}}}^{1} \frac{4\pi \sin(\pi y^2)}{y^2} dy dx$

Ans. 4

49) 반복적분 $\displaystyle\int_0^1 \int_0^{\cos^{-1}y} \sin x\sqrt{1+\sin^2 x}\,dx dy$ 의 값은?

① $\dfrac{2\sqrt{2}-1}{3}$ ② $\dfrac{\pi-1}{6}$ ③ $\dfrac{2\cos 1 - \pi}{6}$ ④ $\dfrac{1}{3}$

Ans.①

50) $\displaystyle\int_0^1 \int_x^1 \left(e^{\frac{x}{y}} + \cos(\pi y^2)\right)dy dx$

Ans. $\dfrac{e-1}{2}$

51) $\displaystyle\int_0^\infty \int_y^\infty (x+2)e^{-\left(x^3+3x^2+2013\right)}dx dy$

Ans. $\dfrac{e^{-2013}}{3}$

52) 양수 t에 대하여 $F(t) = \int_0^t \int_x^t 2\cos y^2 dy dx$ 일 때, 점 $t = \dfrac{\sqrt{\pi}}{2}$에서 $F(t)$의 순간 변화율은?

Ans. $\sqrt{\dfrac{\pi}{2}}$

53) 함수 $f(t) = \int_0^t \int_x^t \dfrac{2x}{1+e^{y^2}} dy dx$에 대해 $f^{'}(3)$의 값은?

Ans. $\dfrac{9}{1+e^9}$

54) 함수 $f(x) = \int_x^{\frac{\pi}{2}} \dfrac{1}{(2+\cos t)^2} dt$에 대하여 정적분 $\int_0^{\frac{\pi}{2}} f(x)\cos x dx$의 값은?

Ans. $\dfrac{1}{6}$

55) $\int_0^3 \int_0^{9-x^2} \dfrac{xe^{3y}}{9-y} \, dy dx$

Ans. $\dfrac{(e^{27}-1)}{6}$

56) $\int_\pi^{2\pi} \int_{2y-2\pi}^{2\pi} \dfrac{\sin^2 x}{x} \, dx dy$

Ans. $\dfrac{\pi}{2}$

57) $\int_0^2 \int_{x^2+1}^5 xe^{(y-1)^2} \, dy dx$

Ans. $\dfrac{e^{16}-1}{4}$

(세종대)

58) $\int_0^1 \int_{1-\sqrt{1-x^2}}^{1+\sqrt{1-x^2}} \frac{1}{\sqrt{2-y}} dydx$

Ans. $\frac{4\sqrt{2}}{3}$

59) $\int_0^\pi \int_y^\pi \frac{\sin x}{x} dxdy$ 와 값이 다른 것은 어느 것인가?

① $\int_0^\pi \int_x^\pi \frac{\sin y}{y} dydx$ ② $\int_0^\pi \int_0^x \frac{\sin x}{x} dydx$ ③ $\int_0^\pi \int_0^y \frac{\sin y}{y} dxdy$ ④ $\int_0^\pi \int_x^\pi \frac{\sin x}{x} dydx$

*Ans.*④

(18건국대)

60) 미분 가능한 함수 $f(x)$의 도함수 $f'(x) = \int_x^1 e^{t^2} dt$ 이다. $f(0) = 0$일 때, $f(1)$의 값은?

Ans. $\frac{e-1}{2}$

61) 두 포물선 $y^2 = 1-x, y^2 = 1+x$ 로 둘러싸인 부분 중에서 $y \geq 0$ 인 영역을 R이라 할 때, 이중적분 $\iint_R y \, dA$ 의 값은?

① $\dfrac{1}{4}$ ② $\dfrac{1}{2}$ ③ 1   ④ 2

Ans.②

62) $f(1) = -1$ 이고 도함수 $f'(x)$가 연속인 함수 $f(x)$에 대하여 $\displaystyle\int_{\frac{1}{2}}^{1} f'(x) dx = 5$ 이다. 함수 $g(x) = \displaystyle\int_{0}^{x} \left(\int_{0}^{\cos t} f(u) du \right) dt$ 일 때, $g''\left(\dfrac{\pi}{3}\right)$의 값은?

① $3\sqrt{3}$ ② 3   ③ $\sqrt{3}$ ④ 1   ⑤ $\dfrac{\sqrt{3}}{3}$

Ans.①

63) 실수 a,b에 대하여 $\max(a,b) = \dfrac{1}{2}(a+b+|a-b|)$로 정의할 때, 중적분 $\displaystyle\int_0^2\int_0^4 e^{\max(y^2,\,4x^2)}dydx = ?$

Ans. $\dfrac{e^{16}-1}{2}$

< 극좌표의 이중적분 >

---

* 직교좌표와 극좌표의 관계

$$\begin{cases} x = r\cos\theta \\ y = r\sin\theta \\ \dfrac{y}{x} = \tan\theta \\ x^2 + y^2 = r^2 \end{cases}$$

$$dydx = |J|drd\theta = rdrd\theta, \quad |J| = \begin{vmatrix} x_r & x_\theta \\ y_r & y_\theta \end{vmatrix} = \begin{vmatrix} \cos\theta & -r\sin\theta \\ \sin\theta & r\cos\theta \end{vmatrix} = r$$

$$\iint_{직} f(x,y)dydx = \iint_{극} f(r,\theta)r\,drd\theta$$

⇒극좌표계로 쓰는 경우 : ① 피적분함수에 x^2+y^2, $\tan^{-1}\left(\dfrac{y}{x}\right)$꼴인 경우

  ② 영역이 원이나 원의 일부인 경우

---

1) $D = 0 \leq r \leq 2\cos\theta,\ 0 \leq \theta \leq \dfrac{\pi}{2}$ 일 때, $\displaystyle\int\int_D r\sin\theta\, ds = ?$

$Ans.\ \dfrac{2}{3}$

2) $A : 0 \leq r \leq \sin\theta,\ \ 0 \leq \theta \leq \dfrac{\pi}{2}$ 일 때, $\displaystyle\int\int_A x\, ds = ?$

$Ans.\ \dfrac{1}{12}$

3) R은 $1 + \cos\theta = r$의 내부영역으로 정의될 때, $\displaystyle\int\int_R y\, dA = ?$

$Ans.\ 0$

4) $r = 1$의 외부 $r = 1 + \cos\theta$의 내부인 영역 D에서 (단 1사분면에서) $\displaystyle\int\int_D r\, dr\, d\theta = ?$

$Ans.\ 1 + \dfrac{\pi}{8}$

5) $D : x^2 + y^2 \leq 1$ 일 때, $\displaystyle\int\int_D \frac{1}{\sqrt{x^2+y^2}}\,dydx = ?$

$Ans.\,2\pi$

6) $D : x^2 + y^2 \leq 4$ 일 때, $\displaystyle\int\int_D \sqrt{4 - x^2 - y^2}\,dydx = ?$

$Ans.\,\dfrac{16\pi}{3}$

7) $R : x^2 + y^2 \leq 1,\ x \geq 0, y \geq 0$ 일 때, $\displaystyle\int\int_R \tan^{-1}\frac{y}{x}\,dA = ?$

$Ans.\,\dfrac{\pi^2}{16}$

8) $D : 1 \leq x^2 + y^2 \leq 4$ 일 때, $\displaystyle\int\int_D (x^2 + y^2)\,dydx = ?$

$Ans.\,\dfrac{15\pi}{2}$

9) $D: x^2 + y^2 \le 1,\ 0 \le y \le \sqrt{3}\,x$일 때, $\displaystyle\int\int_D \sqrt{x^2+y^2}\,dydx = ?$

$Ans.\ \dfrac{\pi}{9}$

10) $R: 1 \le x^2 + y^2 \le 4,\ \ 0 \le y \le x$일 때, $\displaystyle\int\int_R (x^2+y^2)^{\frac{3}{2}}\,dydx = ?$

$Ans.\ \dfrac{31\pi}{20}$

11) $x^2 + y^2 \le 1,\ y \ge 0$인 R에서 $\displaystyle\int\int_R 2e^{x^2+y^2}\,dydx = ?$

$Ans.\ (e-1)\pi$

12) $D : \left\{ (x,y) \mid x^2 + y^2 \leq 4, \ x^2 + y^2 \geq 1 , y \geq 0 \right\}$ 일 때, $\displaystyle\int\int_{D} dA = ?$

$Ans. \dfrac{3\pi}{2}$

13) $\displaystyle\int_{-1}^{1} \int_{0}^{\sqrt{1-x^2}} (x^2 + y^2)^{\frac{3}{2}} \, dy dx = ?$

$Ans. \dfrac{\pi}{5}$

14) $\displaystyle\int_{0}^{2} \int_{0}^{\sqrt{4-x^2}} e^{-x^2-y^2} \, dy dx = ?$

$Ans. \dfrac{\pi}{4}\left(1 - e^{-4}\right)$

15) $\displaystyle\int_{-2}^{2} \int_{-\sqrt{4-x^2}}^{\sqrt{4-x^2}} \dfrac{1}{1 + x^2 + y^2} \, dy dx = ?$

$Ans. \pi \ln 5$

16) $\int_{-3}^{3}\int_{\sqrt{4-x^2}}^{\sqrt{9-x^2}}\sqrt{x^2+y^2}\,dydx = ?$

$Ans.\ \dfrac{19\pi}{3}$

17) $\int_{0}^{3}\int_{0}^{\sqrt{9-x^2}}\cos(x^2+y^2)\,dydx = ?$

$Ans.\ \dfrac{\pi}{4}\sin 9$

18) $\int_{0}^{2}\int_{x}^{\sqrt{8-x^2}}\dfrac{1}{5+x^2+y^2}\,dydx = ?$

$Ans.\ \dfrac{\pi}{8}\ln\left(\dfrac{13}{5}\right)$

19) $\int_{0}^{1}\int_{-\sqrt{x-x^2}}^{\sqrt{x-x^2}}(x^2+y^2)\,dydx$를 극 방정식으로 표시하시오.

$Ans.\ \displaystyle\int_{0}^{\pi}\int_{0}^{\cos\theta}r^3\,drd\theta$

20) $A = \left\{ (x,y) \mid y\cot\beta \leq x \leq \sqrt{4-y^2}, 0 \leq y \leq 2\sin\beta \right\}$, (단, β는 $0 \leq \beta \leq \dfrac{\pi}{2}$인 상수)일 때

$\displaystyle\int\int_A \ln(x^2+y^2)dxdy$의 값은 무엇인가?

Ans. $\beta(4\ln 2 - 2)$

(19 광운대)

21) $\Omega = \left\{ (x,y) \mid \dfrac{x^2}{a^2} + \dfrac{y^2}{b^2} \leq 1, x \geq 0, y \geq 0 \right\}$ $(a > 0, b > 0)$ 일 때, $\displaystyle\iint_\Omega \dfrac{y}{ab^2\sqrt{\dfrac{x^2}{a^2}+\dfrac{y^2}{b^2}}}dxdy$ 값은?

① $\dfrac{1}{4}$　　② $\dfrac{1}{2}$　　③ 1　　④ 2　　⑤ 4

Ans.②

22) $\Omega = \left\{ (x,y) \mid x^2 + \left(y - \dfrac{1}{2}\right)^2 \leq \dfrac{1}{4} \right\}$ 일 때 $\displaystyle\iint_{\Omega} \sqrt{x^2 + y^2}\, dx dy$ 의 값은?

① $\dfrac{2}{9}$　　② $\dfrac{3}{9}$　　③ $\dfrac{4}{9}$　　④ $\dfrac{5}{9}$　　⑤ $\dfrac{6}{9}$

Ans.③

23) $\displaystyle\int_0^1 \int_0^{\sqrt{1-x^2}} \dfrac{1}{(1 + x^2 + y^2)(2 + x^2 + y^2)}\, dy dx$

$Ans.\ \dfrac{\pi}{4}\ln\dfrac{4}{3}$

(21 숙명여대)

24) 중적분 $\displaystyle\int_0^1 \int_{\frac{1}{2}\sin^{-1}y}^{\frac{\pi}{4}} \frac{1}{\cos^2 x + 1}\,dx\,dy$ 의 값은?

① $\ln\dfrac{1}{3}$ ② $\ln\dfrac{2}{3}$ ③ $\ln\dfrac{3}{4}$ ④ $\ln\dfrac{4}{3}$ ⑤ $\ln\dfrac{3}{2}$

Ans.④

25) 다음 중 반복적분 $\displaystyle\int_0^1 \int_{\sqrt{3}x}^{\sqrt{3}} xy\,dy\,dx$ 를 극좌표 변수를 사용한 반복적분으로 옳은 것은?

① $\displaystyle\int_0^{\frac{\pi}{3}} \int_0^{\sqrt{3}\csc\theta} \frac{r^3}{2}\sin 2\theta\,dr\,d\theta$ ② $\displaystyle\int_{\frac{\pi}{6}}^{\frac{\pi}{3}} \int_0^{\csc\theta} r^3\cos 2\theta\,dr\,d\theta$

③ $\displaystyle\int_{\frac{\pi}{6}}^{\frac{\pi}{3}} \int_0^{\sqrt{3}\sec\theta} \frac{r^3}{2}\cos 2\theta\,dr\,d\theta$ ④ $\displaystyle\int_{\frac{\pi}{3}}^{\frac{\pi}{2}} \int_0^{\sqrt{3}\csc\theta} \frac{r^3}{2}\sin 2\theta\,dr\,d\theta$

*Ans.*④

26) 영역 $D = \left\{ (r,\theta) \mid 0 \le r \le 2\sin\theta,\ \dfrac{\pi}{6} \le \theta \le \dfrac{\pi}{2} \right\}$ 일 때, $\displaystyle\int\int_D x\,ds$의 값은?

$Ans.\ \dfrac{5}{8}$

27) $D = \left\{ (x,y) \in R^2 \mid x^2 + y^2 \le 1 \right\}$ 일 때, $\displaystyle\int\int_D (x^2 + y^2)\,dxdy$ 의 값은?

$Ans.\ \dfrac{\pi}{2}$

28) $R = \left\{ (x,y) \mid x^2 + y^2 \le 1,\ x \ge 0,\ y \ge 0 \right\}$ 일 때, $\displaystyle\int\int_R \dfrac{y}{\sqrt{x^2 + y^2}}\,dxdy$의 값은?

$Ans.\ \dfrac{1}{2}$

29) $A = \left\{ (x,y) \mid 0 \le x^2 + y^2 \le 1, y \ge 0 \right\}$일 때, $\displaystyle\int\int_A 2e^{x^2+y^2}dydx$의 값은?

$Ans. \pi(e-1)$

30) $D = \left\{ (x,y) \mid x^2 + y^2 \le 1, y \ge x, x \ge 0 \right\}$일 때, $\displaystyle\int\int_D 5x^2 y\, dxdy$의 값은?

$Ans. \dfrac{1}{6\sqrt{2}}$

31) $D = \left\{ (x,y) \mid x^2 + y^2 \le 1, 0 \le y \le x \right\}$일 때, $\displaystyle\int\int_D \sqrt{1-x^2-y^2}\, dxdy$ 의 값은?

$Ans. \dfrac{\pi}{12}$

32) $D = \{(x,y)\mid x^2 + y^2 \leq 2, \, 0 \leq x \leq y\}$에 대하여 $\displaystyle\iint_D \tan^{-1}\frac{y}{x}\,dA$의 값은?

$Ans.\ \dfrac{3\pi^2}{32}$

33) D가 반원 $x = \sqrt{1-y^2}$ 과 y축에 의해 유계된 영역일 때, $\displaystyle\iint_D e^{-x^2-y^2}\,dA$ 의 값은?

$Ans.\ \dfrac{\pi}{2}\left(1 - \dfrac{1}{e}\right)$

34) R이 두 원 $x^2 + y^2 = 4$와 $x^2 + y^2 = 25$으로 둘러싸인 영역일 때, $\displaystyle\iint_R 3\sqrt{x^2+y^2}\,dxdy = ?$

$Ans.\ 234\pi$

35) 영역 D가 두 원 $x^2 + y^2 = 1$과 $x^2 + y^2 = 4$ 사이의 제 1사분면으로 주어졌을 때,

이중적분 $\iint_D (4x^2 + 5y^3) dA = ?$

Ans. $\dfrac{15\pi}{4} + \dfrac{62}{3}$

36) $R = \left\{(x,y)| 1 \leq x^2 + y^2 \leq 2, 0 \leq y \leq \sqrt{3}\,x \right\}$일 때, $\iint_R (x^2 + y^2)^{\frac{3}{2}} dxdy$의 값은?

Ans. $\dfrac{\pi}{15}(4\sqrt{2} - 1)$

37) 영역 $D = \left\{(x,y)| 16 \leq x^2 + y^2 \leq 81 \right\} \cap \left\{(x,y)| x \leq -y \right\}$에 대하여.

적분 $\iint_D \dfrac{1}{\sqrt{x^2 + y^2}} dxdy$을 구하시오.

Ans. 5π

38) 영역 $D = \left\{ (x,y) \mid |x| \le y \le \sqrt{4-x^2} \right\}$에 대하여 $\displaystyle\int\int_D y\sqrt{x^2+y^2}\,dA$의 값은?

$Ans.\, 4\sqrt{2}$

39) $\displaystyle\int_{-3}^{3}\int_{-\sqrt{9-x^2}}^{\sqrt{9-x^2}} \frac{1}{1+x^2+y^2}\,dydx$

$Ans.\, \pi ln10$

40) $\displaystyle\int_{-2}^{2}\int_{0}^{\sqrt{4-x^2}} \left(y^2+yx\right)dydx$

$Ans.\, 2\pi$

41) $\int_{-3}^{3} \int_{\sqrt{1-x^2}}^{\sqrt{9-x^2}} \sqrt{x^2+y^2} \, dy dx$

Ans. $\dfrac{26\pi}{3}$

42) $\int_{0}^{1} \int_{-\sqrt{1-y^2}}^{0} \cos(x^2+y^2) \, dx dy$

Ans. $\dfrac{\pi \sin 1}{4}$

43) $\int_{0}^{2} \int_{x}^{\sqrt{8-x^2}} \dfrac{1}{5+x^2+y^2} \, dy dx$

Ans. $\dfrac{\pi}{8} \ln \dfrac{13}{5}$

(20 산업기술대)

44) 다음 $\int_0^{\sqrt{2}} \int_y^{\sqrt{4-y^2}} e^{-x^2-y^2} dx dy$ 반복적분의 값은?

① $\dfrac{\pi}{8}(1-e^{-2})$ ② $\dfrac{\pi}{8}(1+e^{-2})$ ③ $\dfrac{\pi}{8}(1+e^{-4})$ ④ $\dfrac{\pi}{8}(1-e^{-4})$

Ans.④

(19 서강대)

45) 영역 $D=\{(x,y)\in R^2 | 1 \le x^2+4y^2 \le 4\}$에 대하여 이중적분 $\displaystyle\iint_D \sqrt{x^2+4y^2}\,dxdy$의 값은?

① $\dfrac{7\pi}{6}$ ② $\dfrac{7\pi}{3}$ ③ $\dfrac{28\pi}{3}$ ④ $\dfrac{3\pi}{4}$ ⑤ $\dfrac{3\pi}{2}$

Ans.②

(18 한양대)

46) 적분 $\displaystyle\int_0^1\int_{-x}^x \frac{1}{(1+x^2+y^2)^2}\,dy\,dx$ 의 값은?

① $\dfrac{1}{2\sqrt{2}}\tan^{-1}\dfrac{1}{\sqrt{2}}$　　② $\dfrac{1}{\sqrt{2}}\tan^{-1}\dfrac{1}{\sqrt{2}}$　　③ $\sqrt{2}\tan^{-1}\dfrac{1}{\sqrt{2}}$　　④ $2\sqrt{2}\tan^{-1}\dfrac{1}{\sqrt{2}}$

Ans.②

(17 건국대)

47) 반지름이 R인 원판 $D_R=\left\{(x,y)\,|\,x^2+y^2\le R^2\right\}$ 에 대하여,

다음 $\displaystyle\lim_{R\to\infty}\iint_{D_R}e^{-(x^2+y^2)}\,dA$ 극한값은?

① π　　　　② $\dfrac{\pi}{2}$　　　　③ $\dfrac{\pi}{3}$　　　　④ $\dfrac{\pi}{4}$　　　　⑤ $\dfrac{\pi}{5}$

Ans.①

48) 영역 $D = \{(x,y)\,|\,x^2 + y^2 \le 1,\, |x| \le y\}$에 대하여 이중적분 $\iint_D \sqrt{x^2 + y^2}\,dA$의 값은?

① $\dfrac{\pi}{4}$ ② $\dfrac{\pi}{6}$ ③ $\dfrac{\pi}{8}$ ④ $\dfrac{\pi}{12}$

Ans.②

49) 이중적분 $\displaystyle\int_0^1 \int_0^{\sqrt{y-y^2}} 1\,dx\,dy$의 값은?

① π ② $\dfrac{\pi}{2}$ ③ $\dfrac{\pi}{4}$ ④ $\dfrac{\pi}{8}$

Ans.④

50) 평면영역 $D = \{(x,y)\,|\,(x-1)^2 + y^2 \le 1\}$에서 $\displaystyle\int\int_D f(x,y)\,dA$의 계산식은?

① $\displaystyle\int_{-\frac{\pi}{2}}^{\frac{\pi}{2}} \int_0^{2\cos\theta} f(r\cos\theta, r\sin\theta)\,r\,dr\,d\theta$

② $\displaystyle\int_{-\frac{\pi}{2}}^{\frac{\pi}{2}} \int_0^{2\sin\theta} f(r\cos\theta, r\sin\theta)\,r\,dr\,d\theta$

③ $\displaystyle\int_{\frac{\pi}{2}}^{\pi} \int_1^{2\cos\theta} f(r\cos\theta, r\sin\theta)\,r\,dr\,d\theta$

④ $\displaystyle\int_0^{\pi} \int_0^{2\sin\theta} f(r\cos\theta, r\sin\theta)\,r\,dr\,d\theta$

Ans.①

51) 이중적분 $\int_0^{\frac{1}{2}} \int_{\frac{1}{2}}^{\frac{1}{2}+\sqrt{\frac{1}{4}-y^2}} \frac{1}{\sqrt{x^2+y^2}} dx dy$ 의 값은?

① $\dfrac{\sqrt{2}-\ln(\sqrt{2}+1)}{2}$ ② $\dfrac{\sqrt{2}-\ln(\sqrt{2}-1)}{2}$ ③ $\dfrac{\sqrt{2}+\ln(\sqrt{2}-1)}{2}$ ④ $\dfrac{\sqrt{2}+\ln(\sqrt{2}+1)}{2}$

Ans.①

52) T가 $(0,0),(1,0),(1,1)$을 잇는 삼각형의 내부일 때, $\displaystyle\int\int_T \frac{dxdy}{(1+x^2+y^2)^{3/2}}$ 의 값은?

$Ans. \dfrac{\pi}{12}$

53) $\displaystyle\int_0^2 \int_0^{\sqrt{4-x^2}} \sqrt{4-y^2}\, dydx$의 값은?

Ans. $\dfrac{16}{3}$

54) 곡선 $x^2 + 4y^2 = 4$로 둘러싸인 영역을 D라 할 때, 적분 $\displaystyle\iint_D e^{x^2+4y^2}dA$의 값은?

Ans. $\dfrac{(e^4-1)\pi}{2}$

55) $E = \left\{(x,y)\in R^2 : x \geq 0, y \geq 0, 9x^2+4y^2 \leq 1\right\}$일 때, $\displaystyle\iint_E \cos(9x^2+4y^2)dxdy$을 계산하면?

Ans. $\dfrac{\pi}{24}\sin 1$

56) R이 타원 $\dfrac{x^2}{9} + \dfrac{y^2}{4} = 1$로 둘러싸인 영역일 때 다음 $\displaystyle\int\int_R \dfrac{1}{\sqrt{36x^2 + 81y^2}} dxdy$ 적분값은?

Ans. $\dfrac{2\pi}{3}$

57) R이 타원 $\dfrac{x^2}{4} + \dfrac{y^2}{9} = 1$로 갇힌 영역일 때 이중적분 $\displaystyle\int\int_R (x^2 + y^2) dxdy$의 값은?

Ans. $\dfrac{39\pi}{2}$

58) $\displaystyle\int_0^\infty \int_0^\infty \frac{1}{(x^2+y^2+1)^2}\,dxdy = ?$

Ans. $\dfrac{\pi}{4}$

59) $R = \{(x,y):\, y \geq 0,\, x^2+y^2 \geq 1\}$ 일 때, $\displaystyle\int\int_R \frac{1}{\left(x^2+y^2+3\right)^{\frac{3}{2}}}\,dxdy$

Ans. $\dfrac{\pi}{2}$

$$* \int_0^\infty e^{-x^2}dx = \frac{\sqrt{\pi}}{2} \;,\; \int_0^\infty \int_0^\infty e^{-x^2-y^2}dydx = \frac{\pi}{4}$$

60) $\displaystyle\int_{-\infty}^\infty \int_{-\infty}^\infty e^{-4(x^2+y^2)}dydx$

Ans. $\dfrac{\pi}{4}$

61) $\int_{-\infty}^{\infty} e^{-ax^2} dx$의 값은?

Ans. $\sqrt{\dfrac{\pi}{a}}$

62) $\sqrt{\dfrac{2}{\pi}} \int_{-\infty}^{\infty} e^{-\frac{(t-1)^2}{2}} dt$의 값은?

Ans. 2

63) $\int_{-\infty}^{\infty} e^{-2x^2+4x} dx$의 값은?

Ans. $e^2\sqrt{\dfrac{\pi}{2}}$

64) 다음 주어진 적분의 값을 구하면?

$$\int_{\frac{1}{2}}^{1}\int_{\sqrt{1-x^2}}^{\sqrt{3}\,x}\sqrt{x^2+y^2}\,\tan^{-1}\frac{y}{x}\,dydx+\int_{1}^{2}\int_{0}^{\sqrt{4-x^2}}\sqrt{x^2+y^2}\,\tan^{-1}\frac{y}{x}\,dydx$$

① $\dfrac{5\pi^2}{54}$ ② $\dfrac{7\pi^2}{54}$ ③ $\dfrac{5\pi^2}{63}$ ④ $\dfrac{8\pi^2}{63}$

Ans.②

65) $\displaystyle\int_{0}^{1}\int_{\sqrt{1-x^2}}^{\sqrt{4-x^2}}\frac{x^2}{x^2+y^2}\,dydx+\int_{1}^{2}\int_{0}^{\sqrt{4-x^2}}\frac{x^2}{x^2+y^2}\,dydx$ 의 값을 구하면?

① $\dfrac{3\pi}{8}$ ② $\dfrac{\pi}{6}$ ③ $\dfrac{\pi}{4}$ ④ $\dfrac{\pi}{2}$

Ans.①

66) $F(x, y) = \int_0^{x^2} \int_0^y 2t e^{t^2} \sec\theta \, d\theta dt$, $x = uv, y = \dfrac{(u-v)\pi}{4}$ 라 할 때,

$u = 2, v = 1$ 에서 $\dfrac{\partial F}{\partial u}$ 의 값은?

① $8e^{16}\ln(\sqrt{2}+1) + \dfrac{\sqrt{2}\,\pi}{4}e^{16}$ ② $32e^{16}\ln(\sqrt{2}+1) + \dfrac{\sqrt{2}\,\pi}{4}(e^{16}-1)$

③ $32e^{16}\ln(\sqrt{2}+1) + \dfrac{\sqrt{2}\,\pi}{4}e^{16}$ ④ $8e^{16}\ln(\sqrt{2}+1) + \dfrac{\pi}{2\sqrt{2}}(e^{16}-1)$

Ans.②

67) 중적분 $I = \int_0^2 \int_{x^2-1}^{2x-1} f(x, y) dy dx$ 의 적분순서를 변경하면 I는 다음중 어느 것과 같은가?

① $\int_0^2 \int_{y^2-1}^{2y-1} f(x, y) dy dx$ ② $\int_0^2 \int_{2y-1}^{y^2-1} f(x, y) dx dy$

③ $\int_{-1}^3 \int_{\sqrt{y+1}}^{\frac{1}{2}(y+1)} f(x, y) dx dy$ ④ $\int_{-1}^3 \int_{\frac{1}{2}(y+1)}^{\sqrt{y+1}} f(x, y) dx dy$

Ans.④

68) 적분 $\displaystyle\int_0^1 \int_{\sqrt{3}\,x}^{\sqrt{4-x^2}} x^2 y\, dy\, dx$ 를 극좌표계의 적분으로 바르게 변환한 것은?

① $\displaystyle\int_{\frac{\pi}{6}}^{\frac{\pi}{2}} \int_0^2 r^3 \sin\theta \cos^2\theta\, dr\, d\theta$

② $\displaystyle\int_{\frac{\pi}{6}}^{\frac{\pi}{2}} \int_0^1 r^4 \sin\theta \cos^2\theta\, dr\, d\theta$

③ $\displaystyle\int_{\frac{\pi}{3}}^{\frac{\pi}{2}} \int_0^2 r^3 \sin\theta \cos^2\theta\, dr\, d\theta$

④ $\displaystyle\int_{\frac{\pi}{3}}^{\frac{\pi}{2}} \int_0^2 r^4 \sin\theta \cos^2\theta\, dr\, d\theta$

Ans.④

69) 다음 적분을 계산하면?

$$\int_{\frac{1}{2}}^1 \int_{\sqrt{1-x^2}}^{\sqrt{3}\,x} e^{x^2+y^2} dy\, dx + \int_1^2 \int_0^{\sqrt{4-x^2}} e^{x^2+y^2} dy\, dx$$

① $\dfrac{\pi}{6}\left(e^4 - e\right)$

② $\dfrac{\pi}{3}\left(e^4 - e\right)$

③ $\dfrac{\pi}{6}\left(e^2 - e\right)$

④ $\dfrac{\pi}{3}\left(e^2 - e\right)$

Ans.①

70) 다음 이중적분 값을 구하면?

$$\int_{\frac{1}{\sqrt{2}}}^{1}\int_{\sqrt{1-x^2}}^{x}xy\,dy\,dx+\int_{1}^{\sqrt{2}}\int_{0}^{x}xy\,dy\,dx+\int_{\sqrt{2}}^{2}\int_{0}^{\sqrt{4-x^2}}xy\,dy\,dx$$

① $\dfrac{15}{16}$　　　　② $\dfrac{3\pi}{16}$　　　　③ $\dfrac{5\pi}{16}$　　　　④ $\dfrac{7\pi}{16}$

Ans.①

(16 광운대)

71) 다음 중 반복적분 $\displaystyle\int_{0}^{1}\int_{\sqrt{3}x}^{\sqrt{3}}xy\,dy\,dx$를 극좌표 변수를 사용한 반복적분으로 옳은 것은?

① $\displaystyle\int_{0}^{\frac{\pi}{3}}\int_{\sqrt{3}x}^{\sqrt{3}\csc\theta}\frac{r^3}{2}\sin2\theta\,dr\,d\theta$

② $\displaystyle\int_{\frac{\pi}{6}}^{\frac{\pi}{3}}\int_{0}^{\csc\theta}r^3\cos2\theta\,dr\,d\theta$

③ $\displaystyle\int_{\frac{\pi}{6}}^{\frac{\pi}{3}}\int_{0}^{\sqrt{3}\sec\theta}\frac{r^3}{2}\cos2\theta\,dr\,d\theta$

④ $\displaystyle\int_{\frac{\pi}{3}}^{\frac{\pi}{2}}\int_{0}^{\sqrt{3}\csc\theta}\frac{r^3}{2}\sin2\theta\,dr\,d\theta$

⑤ $\displaystyle\int_{\frac{\pi}{3}}^{\frac{\pi}{2}}\int_{0}^{\sec\theta}r^3\sin2\theta\,dr\,d\theta$

Ans.④

(17 광운대)

72) R^2에서 $y \geq x$, $x \geq 0$, $x^2 + \left(y - \dfrac{1}{2}\right)^2 \geq \dfrac{1}{4}$, $x^2 + y^2 \leq 4$로 이루어진 영역의 면적에 대해 다음 보기 중 옳은 것을 모두 고르면?

ⓐ. $\dfrac{7\pi - 2}{16}$

ⓑ. $\displaystyle\int_{\frac{\pi}{4}}^{\frac{\pi}{2}} \int_{\sin\theta}^{2} r \, dr \, d\theta$

ⓒ. $\displaystyle\int_{0}^{\frac{1}{2}} \int_{\sqrt{\frac{1}{4} - x^2} + \frac{1}{2}}^{\sqrt{4 - x^2}} dy \, dx + \int_{\frac{1}{2}}^{\sqrt{2}} \int_{x}^{\sqrt{4 - x^2}} dy \, dx$

---

① ⓐ, ⓑ   ② ⓑ, ⓒ   ③ ⓐ, ⓑ, ⓒ   ④ ⓑ   ⑤ 없다

Ans.③

(19 건국대)

73) $f(x) = \displaystyle\int_{0}^{x^2} \int_{\sqrt{x}}^{1} e^{t^2 + s} dt \, ds$ 일 때 $f'(1)$ 의 값은?

① $e - 1$ ② $e(e - 1)$ ③ $\dfrac{1}{2}e(e - 1)$ ④ $-e(e - 1)$ ⑤ $-\dfrac{1}{2}e(e - 1)$

Ans.⑤

(20 성균관대)

74) 양의 정수 k에 대하여 좌표평면 위의 네 개의 점 $(k, \pm k), (-k, \pm k)$를 꼭짓점으로 하는 정사각형을 P_k라고 하자. P_2의 내부이면서 P_1의 외부인 영역을 R이라고 할 때 이중적분 $\iint_R \dfrac{1}{(x^2+y^2)^2} dA$의 값은?

① $\dfrac{\pi}{8}+\dfrac{1}{4}$ ② $\dfrac{3\pi}{8}+\dfrac{1}{4}$ ③ $\dfrac{\pi}{8}+\dfrac{3}{4}$ ④ $\dfrac{3\pi}{8}+\dfrac{3}{4}$ ⑤ $\dfrac{5\pi}{8}+\dfrac{3}{4}$

Ans.④

75) $f(x)=\displaystyle\int_0^{x^2}\int_1^x e^{t^2} dt dy$ 로 정의된 함수 $f(x)$에 대해 $f^{'}(1)$의 값은?

Ans.e

76) 함수 $f(x)=\int_{1}^{x}\int_{4}^{t^2}\dfrac{t\sqrt{1+u^3}}{u^2}\,dudt$ 에 대하여 $f''(2)$의 값은?

$Ans.\ \dfrac{\sqrt{65}}{2}$

< 변수변환 >

변수변환 : x,y좌표계에서 u,v좌표계로의 이행

$f(x,y)$가 영역 R에서 연속이고 $\begin{cases}f(x,y)=u\\g(x,y)=v\end{cases}$ 에 대해 xy평면의 영역 R가 uv평면의 영역

R'와 일대일 대응이 된다면 $\displaystyle\iint_{R}f(x,y)dydx=\iint_{R'}B(x,y)\dfrac{1}{\left|\dfrac{\partial(u,v)}{\partial(x,y)}\right|}dudv$ 이 된다.

* 야코비안 행렬식 : 중적분의 영역을 치환하면 영역이 달라지기 때문에 영역의

변화량만큼 보정해주는 역할을 한다. $J=\left|\dfrac{\partial(u,v)}{\partial(x,y)}\right|=\begin{vmatrix}u_x & u_y\\v_x & v_y\end{vmatrix}$

(야코비안의 행렬식은 절댓값을 취해야 한다.)

따라서,
암기 : $\displaystyle\iint_{R}f(x,y)dydx=\iint_{R'}B(x,y)\dfrac{1}{\begin{vmatrix}u_x & u_y\\v_x & v_y\end{vmatrix}}dudv=\iint_{R'}B(x,y)\begin{vmatrix}x_u & x_v\\y_u & y_v\end{vmatrix}dudv$

1) 사상 $G(u,v) = (u-v, uv)$와 $R = \{(u,v) | 1 \leq u \leq 5, 1 \leq v \leq 4\}$에 대해 $G(R)$위에서 $f(x,y) = x$의 적분값을 구하라.

$Ans.40$

2) D는 꼭지점이 $(0,0), (2,4), (3,4), (1,0)$인 평행사변형의 내부이다. $\displaystyle\int\int_D (2x-y)^2 dx dy$를 계산하기 위해 $x = u+v, \ y = 2v$의 변수변환은?

$Ans. \dfrac{16}{3}$

3) D는 꼭짓점이 $(0,0),(1,0),(0,1)$의 xy평면에 있는 삼각형 내부일때 $\displaystyle\int\int_D \sin\frac{x-y}{x+y}\,dxdy = ?$

$Ans.\,0$

4) 네 개의 꼭짓점 $(2,0),(0,1),(-2,0),(0,-1)$을 갖는 평행사변형꼴 영역을 R이라 할 때,

적분 $\displaystyle\int\int_R (3x+6y)^2 dA$을 구하면?

$Ans.\,48$

5) 좌표평면 위에 부등식 $|x| + |y| \leq 1$을 만족하는 점들의 집합을 R이라고 할 때, 이중적분 $\displaystyle\iint_R e^{3x+y} dA$의 값은?

① $\dfrac{(e+e^{-1})^2(e-e^{-1})}{4}$ ② $\dfrac{(e+e^{-1})^2(e-e^{-1})}{2}$ ③ $\dfrac{(e+e^{-1})(e-e^{-1})}{4}$

④ $\dfrac{(e+e^{-1})(e-e^{-1})}{2}$ ⑤ $\dfrac{(e+e^{-1})(e-e^{-1})^2}{4}$

Ans.⑤

3) $\displaystyle\int_0^2 \int_{\frac{y}{2}}^{\frac{y+1}{2}} y(2x-y)e^{(2x-y)^2} dx dy$

$Ans. \dfrac{e-1}{2}$

4) 꼭짓점이 $\left(\dfrac{1}{5}, \dfrac{3}{5}\right), \left(\dfrac{2}{5}, \dfrac{6}{5}\right), \left(\dfrac{3}{5}, -\dfrac{1}{5}\right), \left(\dfrac{6}{5}, -\dfrac{2}{5}\right)$ 인 사각형을 영역 R 이라고 할 때, 적분

$\displaystyle\int\int_R e^{\frac{x-2y}{2x+y}} dA$ 의 값은?

① $\dfrac{3}{10}\left(e - \dfrac{1}{e}\right)$　　② $\dfrac{1}{2}\left(e - \dfrac{1}{e}\right)$　　③ $\dfrac{3}{5}\left(e - \dfrac{1}{e}\right)$　　④ $\dfrac{3}{2}\left(e - \dfrac{1}{e}\right)$

Ans.①

$$\text{*정의역의 길이} : \int_a^b 1\,dx = b - a, \quad \text{정의역의 면적} : \int\int_R 1\,dxdy$$

5) 곡선 $\sqrt[3]{x^2} + \sqrt[3]{y^2} = 1$ 로 둘러싸인 영역 중 $x > 0$, $y > 0$ 인 부분을 D라 할 때, 이중적분 $\displaystyle\iint_D \dfrac{1}{\sqrt[3]{xy}} dA$의 값은?

① $\dfrac{1}{8}$　　② $\dfrac{3}{8}$　　③ $\dfrac{5}{8}$　　④ $\dfrac{7}{8}$　　⑤ $\dfrac{9}{8}$

Ans.⑤

6) 영역 R이 좌표평면에서 점$(0,0)$, $(0,2)$, $(-2,1)$, $(-2,3)$을 꼭짓점으로 갖는 사각형이라 하자. 주어진 연속함수 $f(x,y)$에 대하여 적분 $\iint_R f(x,y)dA$와 항상 같은 값을 갖는 것은?

① $\displaystyle\int_0^1 \int_0^1 f(-2v, 2u+v)dudv$ ② $\displaystyle 4\int_0^1 \int_0^1 f(-2v, 2u+v)dudv$

③ $\displaystyle\int_0^1 \int_0^{\frac{1}{2}} f(-2v, 2u+v)dudv$ ④ $\displaystyle 4\int_0^1 \int_0^{\frac{1}{2}} f(-2v, 2u+v)dudv$

⑤ $\displaystyle 4\int_0^{\frac{1}{2}} \int_0^1 f(-2v, 2u+v)dudv$

Ans.②

(20 건국대)

7) 영역 R은 세 점$(1,1),(4,2),(2,4)$을 꼭짓점으로 갖는 삼각형이다.

적분 $\displaystyle\int\int_R \frac{3x-y}{-x+3y}dA$을 좌표변환 $x=3u+v, y=u+3v$을 이용하여 변환하면?

① $\displaystyle\int_{\frac{1}{4}}^{\frac{5}{4}} \int_{\frac{1}{4}}^{\frac{3}{2}-u} \frac{8u}{v}dvdu$ ② $\displaystyle\int_{\frac{1}{4}}^{\frac{5}{4}} \int_{\frac{1}{4}}^{\frac{3}{2}-u} \frac{u}{8v}dvdu$ ③ $\displaystyle\int_{\frac{1}{4}}^{\frac{5}{4}} \int_{\frac{1}{4}}^{\frac{3}{4}-u} \frac{8u}{v}dvdu$

④ $\displaystyle\int_{\frac{1}{4}}^{\frac{5}{4}} \int_{\frac{1}{4}}^{\frac{3}{4}-u} \frac{u}{8v}dvdu$ ⑤ $\displaystyle\int_{\frac{1}{4}}^{\frac{5}{4}} \int_{\frac{1}{4}}^{\frac{3}{4}-u} \frac{u}{v}dvdu$

Ans.①

8) R이 꼭짓점 $(1,0)$, $(2,0)$, $(0,2)$, $(0,1)$ 을 갖는 사다리꼴 영역일 때, $\iint_R \cos\left(\dfrac{y-x}{y+x}\right)dA$ 의 값은?

① $\dfrac{1}{3}\cos 1$ ② $\dfrac{3}{2}\sin 1$ ③ $\dfrac{1}{2}$ ④ 1 ⑤ $\dfrac{2}{3}$

Ans.②

(19 건국대)

9) 영역 R은 좌표평면에서 점$(0,0)$, $(2,4)$, $(4,1)$, $(2,-3)$ 을 꼭짓점으로 갖는 사각형이다. 변환 $x = u + 2v,\ y = 2u - 3v$를 이용하여 구한 적분 $\iint_R e^{3x+2y}dA$ 의 값은?

① e^7 ② $e^7 - 1$ ③ e^{14} ④ $e^{14} - 1$ ⑤ $7e^{14} - 1$

Ans.④

(17 숙명여대)

10) 영역 $R = (x,y)|1 \le xy \le 2, 1 \le xy^2 \le 4)$에서 중적분 $\displaystyle\iint_R dA$의 값은?

① $\ln 2$ ② $\ln 3$ ③ $2\ln 2$ ④ $\dfrac{15}{2}$ ⑤ $\dfrac{-15}{2}$

Ans.③

(16 숙명여대)

11) R이 x축과 포물선 $y^2 = 4 - 4x$와 $y^2 = 4 + 4x$, $y \ge 0$에 의해 둘러싸인 영역일 때, 변수변환 $x = u^2 - v^2, y = 2uv$를 이용한 이중적분 $\displaystyle\iint_R dxdy$의 값은?

① $\displaystyle\int_0^1 \int_0^1 (4u^2 + 4v^2) dudv$ ② $\displaystyle\int_0^1 \int_0^1 (4u^2 - 4v^2) dudv$ ③ $\displaystyle\int_{-1}^1 \int_{-1}^1 (4u^2 + 4v^2) dudv$

④ $\displaystyle\int_{-1}^1 \int_{-1}^1 (4u^2 - 4v^2) dudv$ ⑤ $\displaystyle\int_{-1}^1 \int_{-1}^1 -(4u^2 + 4v^2) dudv$

Ans.①

12) R이 두 직선 $y=x$와 $y=2x$과 두 쌍곡선 $y=\dfrac{1}{x}$과 $y=\dfrac{2}{x}$에 의하여 둘러싸인 영역일 때, $\displaystyle\int\int_R e^{xy}dA$의 값은? (단, R의 영역을 1사분면으로 간주함)

$Ans.\ \dfrac{1}{2}e^2\ln 2-\dfrac{1}{2}e\ln 2$

13) D를 곡선 $xy=3,\ xy=6, xy^{3/2}=5,\ xy^{3/2}=10$으로 둘러싸인 영역이라 할 때 $\displaystyle\int\int_D (xy+2xy^{3/2})dxdy$의 값은?

$Ans.\ 60+27\ln 2$

(20숙대)

14) 네 곡선 $y = x^2, y = 2x^2, x = y^2, x = 3y^2$ 으로 둘러싸인 영역의 넓이는?

① $\dfrac{1}{18}$ ② $\dfrac{1}{9}$ ③ $\dfrac{3}{18}$ ④ $\dfrac{2}{9}$ ⑤ $\dfrac{5}{18}$

Ans.②

(20성대)

15) 두 곡선 $x^2 = 2y, x^2 = 3y$ 과 두 직선 $y = 4x, y = 5x$ 로 둘러싸인 영역의 넓이는?

① $\dfrac{303}{6}$ ② $\dfrac{305}{6}$ ③ $\dfrac{304}{5}$ ④ $\dfrac{306}{5}$ ⑤ $\dfrac{305}{4}$

Ans.②

(19성균관대)

16) 네 개의 직선 $2x - y = 0, 2x - y = 2, x - 2y = 1, x - 2y = 3$에 의해 둘러싸인 영역 R에 대하여, $\iint_R \left(\dfrac{2x-y}{x-2y}\right) dA$의 값은?

① $\dfrac{\ln 3}{3}$　② $\dfrac{2\ln 3}{3}$　③ $\ln 3$　④ $\dfrac{4\ln 3}{3}$　⑤ $\dfrac{5\ln 3}{3}$

Ans.②

(14 성균관대)

17) 평면 위 4개의 직선 $x + y = 1, x + y = -1, x - y = 1, x - y = -1$로 둘러싸인 영역을 S 라고 할 때 이중적분 $\iint_S \left(\dfrac{x-y}{x+y+2}\right)^2 dxdy$의 값은?

① 1　② $\dfrac{2}{3}$　③ 2　④ $\dfrac{1}{2}$　⑤ $\dfrac{2}{9}$

Ans.⑤

(17성대)

18) 좌표평면 위에 부등식 $x^2 + 2xy + 5y^2 \leq 1$ 을 만족하는 영역을 S라고 할 때, 이중적분

$$\iint_S \frac{dx\,dy}{(1 + x^2 + 2xy + 5y^2)^2} \text{ 의 값은?}$$

① π ② $\dfrac{\pi}{2}$ ③ $\dfrac{\pi}{3}$ ④ $\dfrac{\pi}{4}$ ⑤ $\dfrac{\pi}{5}$

Ans.④

19) $\displaystyle\int_{-\infty}^{\infty}\int_{-\infty}^{\infty} xy e^{-(x^2 + 2xy + 2y^2)} dx dy$을 계산하라.

$Ans. \dfrac{-\pi}{2}$

20) 좌표평면 위에 $3x^2 + 2xy + y^2 \leq 1$을 만족하는 모든 점의 집합을 S라고 하자 이 때 이 중적분 $\displaystyle\iint_S e^{-(3x^2 + 2xy + y^2)}dxdy$의 값은?

① $\dfrac{\pi}{\sqrt{3}}\left(1 - \dfrac{1}{e}\right)$ ② $\dfrac{\pi}{\sqrt{2}}\left(1 - \dfrac{1}{e}\right)$ ③ $\pi\left(1 - \dfrac{1}{e}\right)$ ④ $\sqrt{2}\,\pi\left(1 - \dfrac{1}{e}\right)$ ⑤ $\sqrt{3}\,\pi\left(1 - \dfrac{1}{e}\right)$

Ans.②

21) xy평면에서 주어진 영역 S의 면적이 1 일 때, 변환 $u = 2x + y + 1, v = x + 2y - 2$에 의한 uv평면에서 S의 상(image)의 면적을 구하라.

Ans.3

(15 서강대)

22) 평면 R^3에 있는 세 점 $(1,0)$, $(3,0)$, $(3,2)$를 꼭짓점으로 갖는 삼각형 영역을 D라고 하자. $T(u,v) = \left(u - \dfrac{1}{2}v, -u + 2v\right)$ 로 정의된 선형변환 T에 의한 D의 상을 R이라고 할 때, 이중적분 $\displaystyle\iint_R \sin\left[\dfrac{\pi}{3}(2x - y)\right]dxdy$ 의 값은?

① $\dfrac{3}{\pi}$　② $\dfrac{2}{\pi}$　③ $-\dfrac{3}{\pi}$　④ $-\dfrac{2}{\pi}$

Ans.③

23) 평면상의 세 직선 $y = x$, $y = 0$, $x = 2$로 둘러싸인 영역을 D라 할 때, 변환 $F(x,y) = (x + y, xy)$에 의한 상 $F(D)$ 의 넓이는?

① $\dfrac{2}{3}$　② $\dfrac{4}{3}$　③ 2　④ $\dfrac{8}{3}$　⑤ $\dfrac{10}{3}$

Ans. ②

24) 선형변환 $T: R^2 \to R^2$ 이 $T(u,v) = \left(4u, 2u + \dfrac{3}{8}v\right)$ 로 주어졌다. 2차원영역

$D^* = \{(u,v) \mid 0 \le u \le 1, 1 \le v \le 3\}$ 에 대하여

$D = T(D^*)$ 라 할 때, $I = \displaystyle\iint_D \left(-\dfrac{x^2}{16} + y\right)dxdy$ 의 값은?

① $\dfrac{17}{8}$ ② $\dfrac{6}{17}$ ③ $\dfrac{17}{6}$ ④ $\dfrac{4}{17}$ ⑤ $\dfrac{17}{4}$

Ans.⑤

< 입체의 체적 >

입체의 부피 : $V = \int\int_D f(x,y)dA$

정의역의 길이 : $\int_a^b 1dx = b-a$

정의역의 면적 : $\int\int_R 1\,dxdy$

정의역의 부피 : $\int\int\int_V 1\,dzdydx$

※이중적분의 정의역이 원 또는 원의 일부라도 피적분함수가 $\sqrt{a-x}$, $\sqrt{a-x^2}$ 이런 형태는 직교좌표로 계산해라.

Graph.

① $z = 1$　　　　　　　② $y = 2$　　　　　　　③ $y = x$

④ $y = -x + 1$　　　　　⑤ $y = x^2 + 4$

⑥ 원기둥 : $x^2 + y^2 = a^2$

⑦ $3x + 4y + 6z = 12$

⑧ $z = x^2 + y^2$

⑨ 원추면 : $z^2 = x^2 + y^2$

⑩ $x^2 + y^2 + z^2 = a^2$

⑪ $z = \sqrt{a^2 - x^2 - y^2}$

⑫ 일엽쌍곡면 : $\dfrac{x^2}{a^2} + \dfrac{y^2}{b^2} - \dfrac{z^2}{c^2} = 1$

스킬편입수학

⑬이엽쌍곡면 : $-\dfrac{x^2}{a^2} - \dfrac{y^2}{b^2} + \dfrac{z^2}{c^2} = 1$

⑭ $z = 4 - x^2$

⑮ $y^2 + z^2 = a^2$

⑯ $z = 1 - \left(x^2 + y^2\right)$

1) $D = \{(x,y) | 0 \le x \le 1, 0 \le y \le 1\}$을 밑면으로 하고 $z = 4 - x^2 - y^2$을 윗면으로 하는 입체의 체적

$Ans.\ \dfrac{10}{3}$

2) 제1공간에서 $z = x$와 원기둥 $x^2 + y^2 = 1$로 된 입체의 부피는?
$Ans.\ 1/3$

3) 제 1팔분공간 영역에서 원기둥 $x^2 + y^2 = 4$와 평면 $y + z = 2$로 된 입체의 부피는?

$Ans. \, 2\pi - \dfrac{8}{3}$

4) $x^2 + y^2 = 1$, $z = 0$, $y = z$로 둘러싸인 입체의 체적은?

$Ans. \, \dfrac{4}{3}$

5) $x^2 + y^2 = a^2$, $x^2 + z^2 = a^2$으로 둘러싸인 입체의 체적

$Ans. \, \dfrac{16a^3}{3}$

6) $x + 2y + 3z = 6$, $x = 0, y = 0, z = 0$으로 된 입체의 체적은?

Ans. 6

7) $x^2 + y^2 = 1$, $x + y + z = 3$, $z = 0$으로 된 입체의 체적

Ans. 3π

8) $z = x^2 + y^2$, $y = x$, $x = 2$, $y = 0, z = 0$으로 된 입체의 부피는?

Ans. $\dfrac{16}{3}$

9) $\{(x,y,z)|0 \le x, 0 \le y, x+y \le 1, 0 \le z \le x^2+y^2\}$의 체적
$Ans.\dfrac{1}{6}$

10) $z=x^2+y^2+4,\ x^2+y^2=1,\ z=0$으로 된 입체의 체적
$Ans.\dfrac{9\pi}{2}$

$$*\iint_{D\,:\,x^2+y^2 \le r^2} (r^2 - x^2 - y^2)\, dA = \pi r^2 \times r^2 \times \frac{1}{2}\,(\text{원기둥 부피의 } \frac{1}{2}\text{배})$$

11) $z=4-x^2-y^2,\ z=0$으로 된 입체의 체적
$Ans.8\pi$

12) $z = 1 - \dfrac{(x^2 + y^2)}{4}$, $z = 0$으로 둘러싸인 입체의 체적

$Ans. \; 2\pi$

13) $z = 9 - x^2 - y^2, x^2 + y^2 \leq 1, z = 0$으로 된 입체의 체적

$Ans. \; \dfrac{17\pi}{2}$

14) $x^2 + y^2 + z^2 = a^2$의 체적

$Ans. \; \dfrac{4\pi a^3}{3}$

15) $x^2 + y^2 + z^2 \leq 9,\ x^2 + y^2 \leq 4$로 된 입체의 부피는?

$Ans.\ \dfrac{4\pi(27 - 5\sqrt{5})}{3}$

16) $4x^2 + 4y^2 + z^2 = 16$의 체적

$Ans.\ \dfrac{64\pi}{3}$

17) $\dfrac{x^2}{a^2} + \dfrac{y^2}{b^2} + \dfrac{z^2}{c^2} = 1$의 내부체적

$Ans.\ \dfrac{4abc\pi}{3}$

18) $z = 4 - x^2 - 4y^2$, $z = 0$으로 된 입체의 체적은?

$Ans.\ 4\pi$

19) $z = x^2 + y^2$, $z = 1$로 둘러싸인 입체의 부피는?

$Ans.\ \dfrac{\pi}{2}$

20) $z = 3 - x^2 - y^2$과 $z = 2x^2 + 2y^2$으로 둘러싸인 입체의 체적

$Ans.\ \dfrac{3\pi}{2}$

21) $z = x^2 + y^2$, $z = 2x^2 + 2y^2 - 1$로 둘러싸인 입체의 체적
$Ans. \dfrac{\pi}{2}$

22) $x^2 + y^2 + z^2 = 1$, $z \geq \sqrt{x^2 + y^2}$ 으로 둘러싸인 입체의 부피는?
$Ans. \dfrac{2\pi}{3}\left(1 - \dfrac{1}{\sqrt{2}}\right)$

23) $x^2 + y^2 + z^2 = 2$, $z = x^2 + y^2$으로 된 입체의 부피는?
$Ans. 2\pi\left(\dfrac{1}{3}(2\sqrt{2} - 1) - \dfrac{1}{4}\right)$

(16광운)

24) 입체 $\{(x,y,z)|x^2+y^2 \le a^2, 0 \le z \le e^{-(x^2+y^2)}\}$의 부피를 $V(a)$라 할 때 $\lim_{a \to \infty} V(a)$는?

① $\dfrac{\sqrt{\pi}}{4}$　② $\dfrac{\sqrt{\pi}}{2}$　③ $\dfrac{\pi}{2}$　④ π　⑤ $\dfrac{4\pi}{3}$

Ans.④

(17숙명여대)

25) 두 원기둥 $x^2+y^2 \le 1, y^2+z^2 \le 1$의 공통부분 부피는?

① $\dfrac{2}{3}$　　② $\dfrac{4}{3}$　　③ $\dfrac{8}{3}$　　④ $\dfrac{16}{3}$　　⑤ $\dfrac{32}{3}$

Ans.④

26) 좌표공간에서 입체 $\{(x,y,z)|\ x^2+z^2 \le 1, y^2+z^2 \le 1, 0 \le z \le 1\}$의 부피는?

① $\dfrac{1}{3}$　　② $\dfrac{2}{3}$　　③ $\dfrac{4}{3}$　　④ 2　　⑤ $\dfrac{8}{3}$

Ans.⑤

(18 성균관대)

27) 공간에서 영역 R이 두 곡면 $y = x^2, x = y^2$ 과 두 평면 $z = 0, z = x + y$ 로 둘러싸여 있을 때, 영역의 체적은?

① $\dfrac{1}{3}$ ② $\dfrac{3}{10}$ ③ $\dfrac{2}{3}$ ④ $\dfrac{1}{9}$ ⑤ $\dfrac{5}{3}$

Ans.②

(16 성균관대)

28) 좌표공간에 원점이 중심이고 반지름이 2인 구가 있다. 이 구에서 $x^2 + y^2 \leq 1$인 실린더모양의 부분을 없앤다. 남은 부분의 부피는?

① $4(3 - \sqrt{3})\pi$ ② $4(1 + \sqrt{3})\pi$ ③ $4\sqrt{3}\pi$ ④ $4(2\sqrt{3} - 2)\pi$ ⑤ $4(5 - 2\sqrt{3})\pi$

Ans.③

29) 반구면 $z = \sqrt{25 - x^2 - y^2}$ 와 두 평면 $z = 0, z = 3$으로 둘러싸인 입체의 부피를 구하라.
Ans. 66π

스킬편입수학

30) 곡면 $y = 4 - x^2$, 평면 $x + y + z = 6$, $x \geq 0$, $y \geq 0$, $z \geq 0$으로 둘러싸인 입체의 부피를 구하라.

$Ans. \dfrac{292}{15}$

(20 명지대)

31) 좌표공간에서 집합 $\left\{ (x, y, z) \in R^3 \middle| x^2 + y^2 \leq y, \sqrt{x^2 + y^2} \leq z \leq 1 \right\}$ 이 나타내는 입체 도형의 부피는?

① $\dfrac{\pi}{4} - \dfrac{2}{3}$ ② $\dfrac{\pi}{4} - \dfrac{4}{9}$ ③ $\dfrac{\pi}{4} - \dfrac{1}{3}$ ④ $\dfrac{\pi}{3} - \dfrac{4}{9}$ ⑤ $\dfrac{\pi}{3} - \dfrac{1}{3}$

$Ans.$②

32) $\alpha > 0$를 주어진 상수라 하자. 곡면 $z = \alpha - \sqrt{x^2 + y^2}$ 아래에 있고, xy평면 위에 있으며 원기둥 $x^2 + y^2 = \alpha x$에 의해 둘러싸인 입체의 부피는?

$Ans. \alpha^3 \left(\dfrac{\pi}{4} - \dfrac{4}{9} \right)$

33) 반지름이 2인 두 개의 구가 있다. 한 구의 중심이 다른 구의 표면에 있을 때 공통부분의 부피를 구하라.

$Ans. \dfrac{10\pi}{3}$

34) 포물면 $z = x^2 + 4y^2$과 $xy-$평면 그리고 두 포물주면 $y^2 = x, x^2 = y$에 의해 둘러싸인 입체 영역의 부피를 구하시오.

ⓐ $\dfrac{14}{35}$ ⓑ $\dfrac{3}{7}$ ⓒ $\dfrac{16}{35}$ ⓓ $\dfrac{17}{35}$ ⓔ $\dfrac{18}{35}$

Ans. ⓑ

(18 이화여대)

35) 다음 조건 $x^2 + y^2 + z^2 \leq 4, \ x^2 - 2x + y^2 \leq 0$을 만족하는 영역의 부피를 구하시오.

$Ans. \dfrac{-64}{9} + \dfrac{16\pi}{3}$

(19 명지대)

36) 좌표공간에서 평면 $x=0$과 포물면 $x=1-y^2-z^2$으로 둘러싸인 입체의 부피는?

① $\dfrac{\pi}{2}$ ② π ③ $\dfrac{3}{2}\pi$ ④ 2π ⑤ $\dfrac{5}{2}\pi$

Ans.①

(18 인하대)

37) 다음과 같이 나타낸 공간 상의 영역 A의 부피는?

$$A = \{(x,y,z) | x^2+y^2+z^2 \le 16, 1 \le z \le 3\}$$

① $\dfrac{61}{3}\pi$ ② $\dfrac{64}{3}\pi$ ③ $\dfrac{67}{3}\pi$ ④ $\dfrac{70}{3}\pi$ ⑤ $\dfrac{73}{3}\pi$

Ans.④

(19 인하대)

38) 포물면 $z = 20 - 2x^2 - 3y^2$ 과 $z = 3x^2 + 2y^2$ 으로 둘러싸인 영역의 부피는?

① 8π ② 16π ③ 24π ④ 32π ⑤ 40π

Ans.⑤

< 삼중적분 >

영역 A의 부피 $= \displaystyle\int\int\int_A dz\,dy\,dx$

참고 : ①구간 $[\alpha, \beta]$의 길이 $= \displaystyle\int_\alpha^\beta dx$

②영역 R의 넓이 $= \displaystyle\int\int_R dy\,dx$

---

1) $\displaystyle\int_0^1 \int_0^x \int_0^y (x+z)\,dz\,dy\,dx$

Ans. $\dfrac{1}{6}$

2) 다음 중 $\displaystyle\int_{-1}^{1}\int_{x^2}^{1}\int_{0}^{1-y} dzdydx$ 와 같은 값을 갖는 것은?

① $\displaystyle\int_{0}^{1}\int_{-1}^{1}\int_{x^2}^{1} dydxdz$ ② $\displaystyle\int_{0}^{1}\int_{-\sqrt{1-z}}^{\sqrt{1-z}}\int_{x^2}^{1} dydxdz$

③ $\displaystyle\int_{0}^{1}\int_{-\sqrt{1-z}}^{\sqrt{1-z}}\int_{x^2}^{1-x} dydxdz$ ④ $\displaystyle\int_{0}^{1}\int_{-\sqrt{1-z}}^{\sqrt{1-z}}\int_{x^2}^{1-z} dydxdz$

Ans.④

3) 다음의 적분 $\displaystyle\int_{0}^{1}\int_{0}^{x^2}\int_{0}^{y} f(x,y,z)dzdydx$과 같지 않은 것을 고르면?

① $\displaystyle\int_{0}^{1}\int_{0}^{y}\int_{\sqrt{y}}^{1} f(x,y,z)dxdzdy$ ② $\displaystyle\int_{0}^{1}\int_{0}^{x^2}\int_{z}^{x^2} f(x,y,z)dydzdx$

③ $\displaystyle\int_{0}^{1}\int_{\sqrt{y}}^{1}\int_{0}^{y} f(x,y,z)dzdxdy$ ④ $\displaystyle\int_{0}^{1}\int_{0}^{\sqrt{z}}\int_{z}^{x^2} f(x,y,z)dydxdz$

Ans.④

4) 임의의 연속함수 $f(x,y,z)$에 대하여

$$\int_0^1 \int_{x^2}^1 \int_0^{1-y} f(x,y,z)dzdydx = \int_0^1 \int_a^b \int_c^d f(x,y,z)dydzdx$$ 이 성립할 때, $a+b+c+d$는?

Ans. $2-z$

(20 세종대)

4) 연속인 임의의 삼변수함수 $f(x,y,z)$에 대하여 다음 식이 성립할 때, a를 구하면?

$$\int_0^1 \int_0^{1-z} \int_0^{\sqrt[3]{y}} f(x,y,z)dxdydz = \int_0^1 \int_0^a \int_{x^3}^{1-z} f(x,y,z)dydxdz$$

① $\sqrt[3]{z^3-1}$ ② $\sqrt[3]{1+z^3}$ ③ $\sqrt[3]{1+z}$ ④ $\sqrt[3]{1-z^3}$ ⑤ $\sqrt[3]{1-z}$

Ans.⑤

5) 삼중적분 $\int_0^1 \int_{x^2}^1 \int_{-\sqrt{y-x^2}}^{\sqrt{y-x^2}} \sqrt{x^2+z^2}\,dzdydx$의 값은?

$Ans. \dfrac{2}{15}\pi$

6) $\int_0^2 \int_0^{2-z} \int_0^{\sqrt{(2-z)^2-y^2}} \sqrt{9(x^2+y^2)}\,dxdydz = \int_0^2 \int_0^{\frac{\pi}{2}} \int_0^{2-z} 3r^2\,drd\theta dz$

(16 광운대)

7) 입체 $\{(x,y,z) \mid -1 \le x \le 1, 0 \le z \le 1, 0 \le y \le \sqrt{1-z^2}\}$ 의 부피를 옳게 나타낸 것을 모두 고르면?

ㄱ. $\dfrac{\pi}{2}$

ㄴ. $\displaystyle\int_{-1}^{1}\int_{0}^{\frac{\pi}{2}}\int_{0}^{1} r\,dr\,d\theta\,dx$

ㄷ. $\displaystyle\int_{-1}^{1}\int_{0}^{1}\sqrt{1-z^2}\,dz\,dx$

ㄹ. $2\displaystyle\int_{0}^{1}\int_{0}^{1}\int_{0}^{\sqrt{1-z^2}} dy\,dx\,dz$

① ㄱ,ㄴ ② ㄱ,ㄷ ③ ㄱ,ㄴ,ㄷ ④ ㄴ,ㄷ,ㄹ ⑤ ㄱ,ㄴ,ㄷ,ㄹ

Ans.⑤

(17 광운대)

8) 영역 $Q : x \ge 0, y \ge 0, z \ge 0, x+y+z \le 1$ 에서 $\displaystyle\iiint_Q x\,dV$ 의 값은?

① $\dfrac{1}{12}$ ② $\dfrac{1}{24}$ ③ $\dfrac{1}{36}$ ④ $\dfrac{1}{48}$ ⑤ $\dfrac{1}{60}$

Ans.②

(16 숙명여대)

9) $\int_{-3}^{3} \int_{-\sqrt{9-y^2}}^{\sqrt{9-y^2}} \int_{-\sqrt{x^2+y^2}}^{3} xz \, dz\,dx\,dy$

① -2π ② $-\pi$ ③ 0 ④ π ⑤ 2π

Ans.③

(16 단국대)

10) 평면 $z=2$ 와 곡면 $z=\sqrt{x^2+y^2}$ 로 둘러싸인 입체를 E 라 할 때, $\iiint_E \sqrt{x^2+y^2}\,dV$ 값은?

① $\dfrac{2}{3}\pi$ ② $\dfrac{4}{3}\pi$ ③ $\dfrac{8}{3}\pi$ ④ $\dfrac{16}{3}\pi$

Ans.③

(21 항공대)

11) 영역 E는 그림과 같이 기둥면 $y = \sqrt{x}$ 와 세 평면 $z = 1-y, x = 0, z = 0$으로 둘러싸인 입체이다. 삼중적분 $\iiint_E (1-z)^2 e^{y^3} dV$ 의 값을 구하시오.

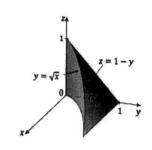

① $\dfrac{1}{9}e - 1$　　　　② $\dfrac{1}{9}(e-2)$　　　　③ $\dfrac{1}{3}e - 1$　　　　④ $\dfrac{1}{3}(e-2)$

*Ans.*②

(19 한양대)

12) 적분 $\displaystyle\int_0^1 \int_0^{z^2} \int_0^{\sqrt{y}} \sqrt{4y^{3/2} - 3y^2}\, dx dy dz$의 값은 ?

① $\dfrac{1}{18}$　　② $\dfrac{1}{15}$　　③ $\dfrac{1}{12}$　　④ $\dfrac{1}{10}$　　⑤ $\dfrac{1}{9}$

Ans.⑤

(18 인하대)

13) 다음 $\int_{-2}^{2}\int_{-\sqrt{4-x^2}}^{0}\int_{0}^{x^2+z^2}(x^2+z^2)dydzdx$ 삼중적분의 값은?

① $\dfrac{31}{3}\pi$ ② $\dfrac{32}{3}\pi$ ③ 11π ④ $\dfrac{34}{3}\pi$ ⑤ $\dfrac{35}{3}\pi$

Ans.②

14) 공간에서 곡면 $x=y^2$과 세 평면 $x=z,\ z=0, x=1$로 둘러싸인 입체의

밀도 함수가 $\rho(x,y,z)=x$일 때, 이 입체의 질량은?

Ans. $\dfrac{4}{7}$

15) 평면 $x + 2y + 3z = 6$과 좌표평면으로 둘러싸인 입체의 부피는?

$Ans. 6$

< 원주좌표계(주면좌표계) >

원주좌표 : 3차원의 한 점 (x, y, z)를 xy좌표는 극좌표로 하고 z좌표는 직교좌표로 한다.

$$\begin{cases} x = r\cos\theta \\ y = r\sin\theta \\ z = z \end{cases} \qquad \begin{cases} dzdydx \quad \rightarrow rdzdrd\theta \\ x^2 + y^2 + z^2 \quad \rightarrow r^2 + z^2 \end{cases}$$

r : z축으로부터 곡면 위의 점까지의 거리
θ : r이 양의 x축으로부터 회전한각

$$\iiint_V f(x, y, z)dzdydx = \iiint f(r\cos\theta, r\sin\theta, z)rdzdrd\theta$$

---

1) $\displaystyle\int_{-1}^{1}\int_{0}^{\sqrt{1-x^2}}\int_{\sqrt{x^2+y^2}}^{1} z\,dzdydx$를 원주좌표계로 나타내라.

$Ans. \displaystyle\int_{0}^{\pi}\int_{0}^{1}\int_{r}^{1} z\,r\,dzdrd\theta$

2) D가 $z = 0$, $z = 4$, $x^2 + y^2 = 1$로 둘러싸인 입체 일때 $\iiint_D \sqrt{x^2 + y^2}\, dx dy dz = ?$

$Ans.\ \dfrac{8\pi}{3}$

3) $\Omega : 0 \le z \le \sqrt{1 - x^2 - y^2}$ 일 때, $\iiint_\Omega z\, dz dy dx = ?$

$Ans.\ \dfrac{\pi}{4}$

4) $\iiint_R \sqrt{x^2 + y^2}\, dz dy dx = ?$ ($R = xy$평면 위의 $z = 4 - \sqrt{x^2 + y^2}$의 아래에 놓인 영역)

$Ans.\ \dfrac{128\pi}{3}$

5) $T: x^2 + y^2 + z^2 \leq 1,\ z \geq \sqrt{x^2 + y^2}$ 일 때, $\displaystyle\iiint_T z\,dxdydz = ?$

Ans. $\dfrac{\pi}{8}$

6) 반지름이 10인 구의 중심축을 따라서 반지름 5인 원기둥 모양의 구멍을 뚫어서 만든 가운데가 빈 구슬 모양의 입체가 있다. 이 입체의 부피를 원주좌표계를 이용하여 삼중적분으로 나타내라.

Ans. $\displaystyle 2\int_0^{2\pi}\int_5^{10}\int_0^{\sqrt{10^2 - r^2}} r\,dzdrd\theta$

(14 성균관대)

7) 좌표를 변환하여 다음 삼중적분 $\int_{-1}^{1}\int_{-\sqrt{1-x^2}}^{\sqrt{1-x^2}}\int_{x^2+y^2}^{3-x^2-y^2}(x^2+y^2)^{3/2}\,dz\,dy\,dx$ 계산하면?

① $\dfrac{16\pi}{35}$ ② $\dfrac{18\pi}{35}$ ③ $\dfrac{20\pi}{35}$ ④ $\dfrac{22\pi}{35}$ ⑤ $\dfrac{10\pi}{35}$

Ans.④

8) 제1팔분공간 내에서 원기둥면 $x^2+y^2=4$와 평면 $y+z=2$으로 둘러싸인 입체의 부피를 구하라.

$Ans. \, 2\pi - \dfrac{8}{3}$

9) 두 부등식 $x^2 + y^2 + z^2 \leq 3$과 $x^2 + y^2 - z^2 \geq 1$로 결정되는 영역의 부피는?

$Ans.\ \dfrac{8}{3}\pi$

10) 두 곡면 $r = \sin\theta$의 내부와 $r = \sin 2\theta$의 외부로 둘러싸인 부분의 영역과 평면 $z = 0$와 곡면 $z = x^2 + y^2$사이의 부피를 구하라.

$Ans.\ \dfrac{27\sqrt{3}}{256}$

(17 인하대)

11) 좌표공간에서 영역 R이 다음과 같이 주어져 있다.

$R = \left\{ (x,y,z) \,\middle|\, \sqrt{x^2+y^2} \le z \le \sqrt{4-x^2-y^2} + 2 \right\}$이 영역 R의 부피는?

ⓐ $\dfrac{9}{2}\pi$ ⓑ $\dfrac{11}{2}\pi$ ⓒ 6π ⓓ $\dfrac{13}{2}\pi$ ⓔ 8π

Ans.ⓔ

(19 인하대)

12) $V = \left\{ (x,y,z) \,\middle|\, (x+1)^2 + y^2 \le 1,\, y \ge 0,\, 0 \le z \le 2 \right\}$에서 적분 $\iiint_V xyz\,dx\,dy\,dz$의 값은?

① 0 ② $-\dfrac{1}{3}$ ③ $-\dfrac{2}{3}$ ④ -1 ⑤ $-\dfrac{4}{3}$

Ans.⑤

(20 인하대)

13) 구면 $x^2+y^2+z^2=2$와 포물면 $z=x^2+y^2$으로 둘러싸인 영역 중, $z \geq 0$인 부분의 부피는?

① $\dfrac{(8\sqrt{2}-7)\pi}{6}$ ② $\dfrac{(7\sqrt{2}-6)\pi}{6}$ ③ $\dfrac{(6\sqrt{2}-5)\pi}{6}$

④ $\dfrac{(5\sqrt{2}-4)\pi}{6}$ ⑤ $\dfrac{(4\sqrt{2}-3)\pi}{6}$

Ans.①

14) 곡면 $z=(5x-y)^2+(x+y)^2$과 평면 $z=6$으로 둘러싸인 영역의 부피는?

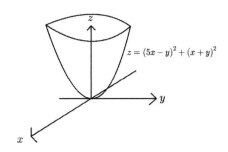

① $\dfrac{3\pi}{2}$ ② 2π ③ $\dfrac{5\pi}{2}$ ④ 3π ⑤ $\dfrac{7\pi}{2}$

Ans.④

(21 한양대)

15) 두 평면 $z = 2y$, $z = 0$과 곡면 $y = 2x - x^2$에 둘러싸인 부분을 S라 할 때, $\iiint_S x\,dV$ 값은?

① $\dfrac{16}{15}$ ② $\dfrac{15}{14}$ ③ $\dfrac{14}{13}$ ④ $\dfrac{13}{12}$ ⑤ $\dfrac{12}{11}$

Ans.①

16) 곡선 $z = \sin^{-1}(x^2 + y^2 - 2) + \pi(x^2 + y^2)$과 두 평면 $z = \dfrac{7\pi}{2}$, $z = \dfrac{\pi}{2}$로 둘러싸인

영역의 부피는?

① $2\pi^2$ ② $4\pi^2$ ③ $6\pi^2$ ④ $8\pi^2$ ⑤ $10\pi^2$

Ans.③

< 구면좌표계 : (ρ,ϕ,θ)>
: 정의역이 구 또는 구의 일부이거나 피적분함수가 $x^2+y^2+z^2$ 형태 일때 쓴다.

ρ : 원점으로부터 곡면 위의 점까지의 거리$(\rho \geq 0)$
θ : ρ가 양의 x축으로부터 회전한 각
ϕ : ρ가 양의 z축으로부터 이루는 각(쉽게, z축이 꺾인 각도)
$(0 \leq \phi \leq \pi)$

Graph.

구 분	직교좌표계	구면좌표계
좌 표	(x,y,z)	(ρ,ϕ,θ)
변 수 사이의 관계	x	$\rho\sin\phi\cos\theta$
	y	$\rho\sin\phi\sin\theta$
	z	$\rho\cos\phi$
	$\tan^{-1}\dfrac{y}{x}$	θ
제곱관계	$x^2+y^2+z^2$	ρ^2
체적소(dV)	$dxdydz$	$\rho^2\sin\phi d\rho d\phi d\theta$
적분식	$\iiint_V f(x,y,z)dzdydx$	$\iiint_V f(\rho,\phi,\theta)\rho^2\sin\phi d\rho d\phi d\theta$

[참고]
직교좌표계 (x,y,z)를 구면좌표계 (ρ,ϕ,θ)로 변환할 때

$$x=\rho\sin\phi\cos\theta,\ y=\rho\sin\phi\sin\theta,\ z=\rho\cos\phi \text{라 하면}$$

$$J=\begin{vmatrix} x_\rho & x_\phi & x_\theta \\ y_\rho & y_\phi & y_\theta \\ z_\rho & z_\phi & z_\theta \end{vmatrix}=\begin{vmatrix} \sin\phi\cos\theta & \rho\cos\phi\cos\theta & -\rho\sin\phi\sin\theta \\ \sin\phi\sin\theta & \rho\cos\phi\sin\theta & \rho\sin\phi\cos\theta \\ \cos\phi & -\rho\sin\theta & 0 \end{vmatrix}=\rho^2\sin\phi$$

1) 구면좌표계 범위로 나타내라.

① $x^2 + y^2 + z^2 \leq a^2 \Leftrightarrow 0 \leq \theta \leq 2\pi, \, 0 \leq \phi \leq \pi, \, 0 \leq \rho \leq a$

② $x^2 + y^2 + z^2 \leq 1, \, z \geq 0, \Leftrightarrow 0 \leq \theta \leq 2\pi, \, 0 \leq \phi \leq \dfrac{\pi}{2}, 0 \leq \rho \leq 1$

③ $x^2 + y^2 + z^2 \leq 1, \, x \geq 0, \, y \geq 0, \, z \geq 0 \Leftrightarrow 0 \leq \theta \leq \dfrac{\pi}{2}, \, 0 \leq \phi \leq \dfrac{\pi}{2}, \, 0 \leq \rho \leq 1$

④ $x^2 + y^2 + z^2 \leq 1, \, z \geq \sqrt{x^2 + y^2}, \Leftrightarrow 0 \leq \theta \leq 2\pi, \, 0 \leq \phi \leq \dfrac{\pi}{4}, \, 0 \leq \rho \leq 1$

⑤ $x^2 + y^2 + z^2 = 2z, \Leftrightarrow 0 \le \theta \le 2\pi, 0 \le \phi \le \dfrac{\pi}{2}, 0 \le \rho \le 2\cos\phi$

⑥ $x^2 + y^2 + z^2 = 4z, \ z \ge \sqrt{\dfrac{(x^2 + y^2)}{3}} \Leftrightarrow 0 \le \theta \le 2\pi, 0 \le \phi \le \dfrac{\pi}{3}, 0 \le \rho \le 4\cos\phi$

2) $D : x^2 + y^2 + z^2 \le 1, z \ge 0$ 일때, $\displaystyle\iiint_D z \, dA$를 구면좌표계로 나타내라.

$Ans. \displaystyle\int_0^{2\pi} \int_0^{\frac{\pi}{2}} \int_0^1 \rho^3 \sin\phi \cos\phi \, d\rho d\phi d\theta$

3) $V : x^2 + y^2 + z^2 \le 1, z \ge \sqrt{x^2 + y^2}$ 일 때, $\displaystyle\iiint_V e^{(x^2 + y^2 + z^2)^{\frac{3}{2}}} dz dy dx = ?$

$Ans. \dfrac{2(e-1)\pi}{3} \left(1 - \dfrac{1}{\sqrt{2}} \right)$

(17 광운대)

4) $\rho = t, \theta = t, \phi = \dfrac{\pi}{6}, (0 \le t \le \pi)$은 구면좌표계의 매개방정식으로 주어진 곡선이다. $t = \dfrac{\pi}{2}$ 에서 접선의 방정식과 xy평면과의 교점은?

① $\left(-\dfrac{\pi}{4}, \dfrac{\pi}{2}, 0\right)$　② $\left(\dfrac{\pi^2}{8}, 0, 0\right)$　③ $\left(0, \dfrac{\pi^2}{4}, 0\right)$　④ $\left(\dfrac{\pi^2}{4}, \dfrac{\pi^2}{4}, 0\right)$　⑤ $\left(\dfrac{\pi}{2}, \dfrac{\pi}{4}, 0\right)$

Ans.②

(17 숙명여대)

5) 영역 $D = \left\{(x,y,z) \,\middle|\, x^2 + y^2 + \dfrac{z^2}{4} \le 1\right\}$에서 삼중적분 $\displaystyle\iiint_D z^2 \, dx\,dy\,dz$의 값은?

① $\dfrac{16\pi}{15}$　② $\dfrac{32\pi}{15}$　③ $\dfrac{16\pi}{5}$　④ $\dfrac{32\pi}{5}$　⑤ $\dfrac{32\pi}{3}$

Ans.②

(16 인하대)

6) 공간상의 두 영역 $x^2 + y^2 + (z-2)^2 \leq 4$와 $z \geq \sqrt{x^2 + y^2}$의 공통 영역의 부피는?

① π ② 2π ③ 4π ④ 6π ⑤ 8π

Ans.⑤

(17 숙명여대)

7) 좌표공간에서 R을 구 $x^2 + y^2 + z^2 = 1$과 원뿔 $z = \sqrt{x^2 + y^2}$으로 둘러싸이고 $z \geq 0$인

영역이라 할때, $\displaystyle\iiint_R (x^2 + y^2 + z^2)\,dxdydz$의 값은?

① $\dfrac{\pi}{10}$ ② $\dfrac{\pi}{5}(2-\sqrt{2})$ ③ $\dfrac{\pi}{5}(4-\sqrt{2})$ ④ $\dfrac{2\pi}{5}$ ⑤ $\dfrac{\pi}{5}(4-2\sqrt{2})$

Ans.②

(19 인하대)

8) 적분 $\int_{-\infty}^{\infty}\int_{-\infty}^{\infty}\int_{-\infty}^{\infty}\dfrac{e^{-\sqrt{x^2+y^2+z^2}}}{\sqrt{x^2+y^2+z^2}}dxdydz$ 의 값은?

① 4π ② 5π ③ 6π ④ 7π ⑤ 8π

Ans.①

(15 숙명여대)

9) 삼중적분 $\int_{-2}^{2}\int_{0}^{\sqrt{4-y^2}}\int_{-\sqrt{4-x^2-y^2}}^{\sqrt{4-x^2-y^2}}\sqrt{x^2+y^2+z^2}\,dzdxdy$ 을 구하시오.

① 5π ② 6π ③ 7π ④ 8π ⑤$9\pi$

Ans.④

(20 성균관대)

10) 구면 $x^2 + y^2 + z^2 = 2z$ 의 안쪽에 있고, 원추면 $z = \sqrt{\dfrac{x^2 + y^2}{3}}$ 의 위쪽에 놓여 있는 입체의 부피는?

① $\pi + \dfrac{3}{8}$ ② $\dfrac{3}{2}\pi$ ③ $\dfrac{5}{3}\pi$ ④ $\dfrac{5\pi}{4}$ ⑤ $\dfrac{8}{5}\pi$

Ans.④

(15성대)

11) 다음 삼중적분의 값을 A, B라고 하자.

$A = \displaystyle\int_{-1}^{\frac{1}{\sqrt{2}}} \int_{-\sqrt{1-z^2}}^{\sqrt{1-z^2}} \int_{-\sqrt{1-y^2-z^2}}^{\sqrt{1-y^2-z^2}} 1\, dx\, dy\, dz$ 이 때 $A - B$의 값은?

$B = \displaystyle\int_{-\frac{1}{\sqrt{2}}}^{\frac{1}{\sqrt{2}}} \int_{-\sqrt{\frac{1}{2}-x^2}}^{\sqrt{\frac{1}{2}-x^2}} \int_{\sqrt{x^2+y^2}}^{\frac{1}{\sqrt{2}}} 1\, dz\, dy\, dx$

① $\dfrac{\pi}{3}\left(1 - \dfrac{\sqrt{2}}{2}\right)$ ② $\dfrac{2\pi}{3}\left(1 - \dfrac{\sqrt{2}}{2}\right)$ ③ π ④ $\dfrac{2\pi}{3}\left(1 + \dfrac{\sqrt{2}}{2}\right)$ ⑤ $\dfrac{4\pi}{3}\left(1 + \dfrac{\sqrt{2}}{2}\right)$

Ans.④

17중대(공대)

12) 좌표공간에서 두 부등식 $x^2 + y^2 \le z^2$, $x^2 + y^2 + z^2 \le z$ 를 만족하는 영역을 E라고 할

때, $\displaystyle\iiint_E \frac{\tan^{-1}\left(\frac{y}{x}\right)}{\sqrt{x^2 + y^2 + z^2}} dxdydz$의 값은?

① $\dfrac{\pi(4 - \sqrt{2})}{12}$ ② $\dfrac{\pi^2(4 - \sqrt{2})}{12}$ ③ $\dfrac{\pi(4 + \sqrt{2})}{12}$ ④ $\dfrac{\pi^2(4 + \sqrt{2})}{12}$

Ans. ② (답없음)

15광운

13) 공간의 영역 $W = \{(x, y, z) | x^2 + y^2 \ge 1, x^2 + y^2 + z^2 \le 2\}$위에서 함수 $f(x, y, z) = 2z$의
삼중적분을 구하면?

① 0 ② π ③ $\dfrac{3\pi}{2}$ ④ 3π ⑤ 4π

Ans. ①

17중대(공대)

14) 밀도함수가 $\mu(x,y,z) = \dfrac{3}{x^2+y^2+z^2}$ 으로 주어질 때, 입체

$E = \left\{ (x,y,z) \in R^3 \mid z \geq 0,\, x^2+y^2+z^2 \leq 4,\, x^2+y^2 \geq 1 \right\}$ 의 질량은?

① $2\pi\left(3 - \dfrac{2}{3}\pi\right)$ ② $2\pi\left(2 - \dfrac{\pi}{3}\right)$ ③ $2\sqrt{3}\,\pi\left(2 - \dfrac{\pi}{3}\right)$ ④ $2\pi\left(3\sqrt{3} - \pi\right)$

*Ans.*④

19중대(공대)

15) $\displaystyle \int_0^1 \int_0^{\sqrt{1-x^2}} \int_{\sqrt{x^2+y^2}}^{\sqrt{2-x^2-y^2}} x\,dz\,dy\,dx$ 를 계산하면?

① $\dfrac{\pi-2}{2}$ ② $\dfrac{\pi-2}{4}$ ③ $\dfrac{\pi-2}{8}$ ④ $\dfrac{\pi-2}{16}$

*Ans.*③

16) $E = \left\{ (x, y, z) : \dfrac{x^2}{3} + \dfrac{y^2}{3} + z^2 \leq 1 \right\}$ 일 때, $\displaystyle\int\int\int_E \left(\dfrac{x^2}{3} + \dfrac{y^2}{3} + z^2 \right)^3 dx\,dy\,dz$의 값은?

$Ans. \dfrac{4\pi}{3}$

19한양

17) 좌표공간에서 영역 $D = \left\{ (x, y, z) \mid x^2 + y^2 + z^2 \geq 9, \ x^2 + (y - \dfrac{9}{2})^2 + z^2 \leq \dfrac{81}{4} \right\}$ 의 부피는?

① 105π ② 108π ③ 111π ④ 114π ⑤ 117π

$Ans.$②

18) 중심이 원점이고 반지름이 3인 구의 제1팔분공간의 영역 S에 대하여, 삼중적분 $\iiint_S yz\,dV$를 구하면?

$Ans.\ \dfrac{81}{5}$

19) 중심이 원점이고 반지름이 1인 단위 구의 외부로 정의된 영역을 D라고 할 때, 특이적분 $\iiint_D \dfrac{1}{\left(x^2+y^2+z^2\right)^2}\,dxdydz$의 값은?

$Ans.\ 4\pi$

20) 구면좌표계의 곡면 $\rho = \cos\phi$로 둘러싸인 입체를 E라 할 때 , 삼중적분값 $\iiint_E z\,dV$을 구하면?

① $\dfrac{\pi}{12}$ ② $\dfrac{\pi}{6}$ ③ $\dfrac{\pi}{4}$ ④ $\dfrac{\pi}{3}$ ⑤ $\dfrac{\pi}{2}$

*Ans.*①

21) 삼중적분에 대한 변수변환을 아래와 같이 수행할 때, 두 괄호 안에 들어갈 값들의 합은?
$\left(\text{단, } u = \dfrac{2x-y}{2}, v = \dfrac{y}{2}, w = \dfrac{z}{3}\text{이다.}\right)$

$$\int_0^3 \int_0^4 \int_{\frac{y}{2}}^{\frac{y}{2}+1} \left(\frac{2x-y}{2} + \frac{z}{3}\right)dx\,dy\,dz = \int_0^1 \int_0^{(\ )} \int_0^1 (u+w)(\ \ )\,du\,dv\,dw$$

Ans. 8

22) $\displaystyle\int\int\int_{R^3} e^{-[(x+2y+z)^2+(x+3y-z)^2+(2x-y+z)^2]}dxdydz$을 계산하면?

(필요시 $\displaystyle\int_0^\infty e^{-t^2}dt = \dfrac{\sqrt\pi}{2}$임을 활용)

$Ans.\dfrac{\pi\sqrt\pi}{11}$

23) $\Omega = \{(x,y,z)\in R^3 | 0 \le z \le 1\}$일 때, $\displaystyle\iiint_\Omega e^{-x^2-y^2+z}dxdydz$의 값을 계산하면?

① $\dfrac{\pi}{2}(e-1)$ ② $\pi(e-1)$ ③ $2\pi(e-1)$ ④ $\dfrac{4\pi}{3}(e-1)$

$Ans.$②

< 공간상의 곡면적 >

곡면 $z = f(x,y)$의 xy평면상에서의 정사영의 영역을 D라 하자.

* xy평면에 정사영 : $S = \displaystyle\int\int_D \sqrt{1 + \left(\dfrac{\partial z}{\partial x}\right)^2 + \left(\dfrac{\partial z}{\partial y}\right)^2}\, dydx$

* 벡터 함수에서의 곡면적

S의 방정식이 $r(u,v) = x(u,v)i + y(u,v)j + z(u,v)k,\ (u,v) \in D$일 때,

$S = \displaystyle\int\int_D |r_u \times r_v|\, dA \left(\text{단},\ r_u = \dfrac{\partial x}{\partial u}i + \dfrac{\partial y}{\partial u}j + \dfrac{\partial z}{\partial u}k,\ r_v = \dfrac{\partial x}{\partial v}i + \dfrac{\partial y}{\partial v}j + \dfrac{\partial z}{\partial v}k\right)$

1) $x^2 + y^2 = 1$의 내부의 곡면 $z = xy$부분의 곡면적을 구하라.

$Ans.\ \dfrac{2}{3}(2\sqrt{2} - 1)\pi$

(18인하)

2) 공간상의 곡면 $z = 1 - x^2 - y^2,\ z \geq 0$의 넓이는?

① $\dfrac{\pi}{6}(4\sqrt{5} - 3)$ ② $\dfrac{\pi}{6}(5\sqrt{5} - 1)$ ③ $\dfrac{\pi}{6}(6\sqrt{5} - 1)$ ④ $\dfrac{\pi}{6}(7\sqrt{5} - 2)$ ⑤ $\dfrac{\pi}{6}(7\sqrt{5} - 1)$

*Ans.*②

3) $z = x^2 + y^2$의 평면 $z = 1$ 아랫부분의 곡면적은?

Ans. $\dfrac{\pi}{6}(5\sqrt{5} - 1)$

4) $z = 9 - x^2 - y^2$의 $z = 0$ 윗 부분의 곡면적은?

Ans. $\dfrac{\pi}{6}(37\sqrt{37} - 1)$

5) C가 원통 $x^2 + y^2 = 1$과 평면 $y + z = 2$가 만나 이루는 폐곡선 이라할때 C의 내부면적은?

Ans. $\sqrt{2}\,\pi$

6) 제 1사분면의 원 $x^2 + y^2 = 1$위의 평면 $x + y + z = 2$의 면적은?

$Ans. \dfrac{\sqrt{3}}{4}\pi$

7) 제 1팔분공간 상에서 $z = 1 - x$가 평면 $y = 0, y = 1$로 잘린 부분의 면적은?

$Ans. \sqrt{2}$

8) $x^2 + y^2 + z^2 = 4$의 원기둥 $x^2 + y^2 = 1$에 놓인 부분의 곡면적은?
$Ans. 8\pi\left(2 - \sqrt{3}\right)$

★구의 전체표면적(곡면적) : $2\displaystyle\int\int_D \frac{r}{z}\,dydx$ $(r : $구의 반지름$, z : $구의 z에 대한식$)$

9) 삼차원 공간에서 타원기둥 $y^2 + 4z^2 = 9$의 내부에 있는 곡면 $x = y^2 + 2z^2$의 넓이는?
$Ans. \pi\left(37\sqrt{37} - 1\right)/12$

17광운

10) R^3에서 원기둥 $x^2 + y^2 = 3$과 곡면 $z = xy$이 만날 때, 원기둥 내부에 있는 곡면의 면적은?

① $\dfrac{14\pi}{3}$ ② $\dfrac{16\pi}{3}$ ③ 6π ④ $\dfrac{20\pi}{3}$ ⑤ $\dfrac{22\pi}{3}$

*Ans.*①

19인하

11) 영역 $D = \{(x,y) \mid x^2 + y^2 \leq 1\}$에서 정의된 함수 $f(x,y) = xy$의 그래프로 표시되는 곡면의 면적은?

① $\dfrac{2}{3}(2\sqrt{2} - 1)\pi$ ② $\dfrac{4}{3}(\sqrt{2} - 1)\pi$ ③ $\dfrac{2}{3}(2\sqrt{2} + 1)\pi$ ④ $\dfrac{4}{3}(\sqrt{2} + 1)\pi$ ⑤ $\dfrac{4}{3}\sqrt{2}\pi$

*Ans.*①

20인하

12) 좌표공간에서 $x^2 + y^2 + z^2 = 4,\ z \geq 0,\ (x-1)^2 + y^2 \leq 1$로 주어진 곡면의 넓이는?

① $4\pi - 8$ ② $3\pi - 5$ ③ $2\pi - 2$ ④ $\pi + 1$ ⑤ $2\pi - 1$

*Ans.*①

16숙대

13) 반지름이 2인 구 $x^2 + y^2 + z^2 = 4$의 표면 중 원기둥 $x^2 + y^2 = 3$의 안에 놓인 부분의 겉넓이는?

① 2π ② 4π ③ 8π ④ 16π ⑤ 32π

Ans.③

경희

14) 반지름이 2인 구와 이 구의 중심으로부터의 거리가 4인 지점에 전구가 있다. 전구가 켜져있을 때 구의 표면에서 전구의 빛이 닿는 부분의 넓이는?

① $\dfrac{7\pi}{2}$ ② $\dfrac{15\pi}{4}$ ③ 4π ④ $\dfrac{17\pi}{4}$ ⑤ $\dfrac{9\pi}{2}$

Ans. ③

19성대

15) 좌표공간 내의 곡면 $x^2 + y^2 + z^2 = 1$ 에서 $z \geq 0$ 인 부분 중, 평면 $z = \dfrac{1}{2}$ 의 윗부분에 놓인 곡면의 넓이의 값은?

① π ② $\dfrac{3\pi}{2}$ ③ 2π ④ $\dfrac{5\pi}{2}$ ⑤ 3π

Ans. ①

17성대

16) 평면 $x+2y+4z=8$에서 부등식 $x \geq 0, y \geq 0, z \geq 0$을 모두 만족하는 부분의 넓이의 값은?

① $\sqrt{21}$ ② $2\sqrt{21}$ ③ $3\sqrt{21}$ ④ $4\sqrt{21}$ ⑤ $5\sqrt{21}$

*Ans.*④

16인하

17) yz평면 위의 쌍곡선 $y^2-z^2=1$을 z축의 둘레로 회전시켜 얻은 곡면의 식은?

① $x^2+y^2-z^2=1$ ② $x^2-y^2+z^2=1$ ③ $-x^2-y^2+z^2=1$ ④ $x^2-y^2-z^2=1$

⑤ $-x^2+y^2-z^2=1$

*Ans.*①

19중대(수)

18) 양끝점이 점 $(-1,1,-1)$과 점 $(1,1,1)$인 선분을 z축을 중심으로 회전하여 얻은 곡면의 넓이는?

$\left(\text{단, } \int \sec^3 x\, dx = \frac{1}{2}\sec x \tan x + \frac{1}{2}\ln|\sec x + \tan x| + c \text{를 이용할 수도 있다.}\right)$

$Ans.\ \pi\left(2\sqrt{3} + \sqrt{2}\left(\ln\sqrt{2} + \sqrt{3}\right)\right)$

19) 두 점$(1,0,0)$, $(1,1,1)$을 양 끝점으로 하는 선분을 z축을 중심으로 회전시켜 얻은 곡면을 S라 하자. 곡면 S와 두 평면 $z=0, z=1$로 둘러싸인 입체의 부피는?

① $\dfrac{\pi}{3}$ ② $\dfrac{2}{3}\pi$ ③ π ④ $\dfrac{4}{3}\pi$ ⑤ $\dfrac{5}{3}\pi$

20) 영역 $\left\{(x,y,z)\mid x^2+y^2 \le z,\, 0 \le z \le 1\right\}$의 경계곡면의 표면적($surface\ area$)은?

$Ans.\ \dfrac{5\pi}{6}\left(\sqrt{5}+1\right)$

21) $x^2 + y^2 + z^2 = 4$의 평면 $z = 1$ 윗부분에 있는 표면적은?
$Ans. 4\pi$

22) 세 평면 $x = 0, z = 1, z = x$로 둘러싸인 곡면 $y = \sqrt{x^2 + z^2}$의 곡면적은?
$Ans. \sqrt{2}/2$

23) 평면 $z = \dfrac{x}{2}$ 에 의해 잘린 원기둥면 $x^2 + y^2 = a^2$ 의 제 1팔분공간의 곡면적을 구하면?

$Ans. \dfrac{a^2}{2}$

24) 벡터함수 $r(u,v) = \ <uv, u+v, u-v>, \ u^2+v^2 \leq 1$ 의 곡면적을 구하면?

$Ans. \dfrac{2\pi}{3}(3\sqrt{6}-4)$

15중대

25) 다음과 같이 주어진 공간곡면 S의 넓이를 정적분으로 표현하면?

$S : r(u,v) = (u\cos v, u\sin v, v)(0 \le u \le 1, 0 \le v \le \pi)$

① $\displaystyle\int_0^1 \sqrt{1+u^2}\,du$ ② $\displaystyle\pi\int_0^1 \sqrt{1+u^2}\,du$ ③ $\displaystyle\int_0^\pi \sqrt{1+v^2}\,dv$ ④ $\displaystyle\pi\int_0^\pi \sqrt{1+v^2}\,dv$

$Ans.$②

26) 다음과 같이 정의되는 곡면 S의 표면적을 계산하면?

$S : X(u,v) = (a+\cos v)\cos u\,i + (a+\cos v)\sin u\,j + \sin v\,k\,(0 \le u \le 2\pi, 0 \le v \le 2\pi), a > 1$

$Ans.\, 4\pi^2 a$

27) 다음 공간상의 입체 E를 xy평면, yz평면, xz평면으로 정사영한 영역의 넓이를 각각 S_1, S_2, S_3 라 할 때 $S_1 + S_2 + S_3$의 값은?

$$E = \{(x, y, z) | 0 \le x \le 1, 0 \le z \le y, \sqrt{y} \le x \le 1\}$$

$Ans. \dfrac{7}{6}$

< 중심의 좌표 >

2차원에서의 중심 $(\overline{x}, \overline{y})$: $\quad \overline{x} = \dfrac{\displaystyle\iint_{D} x \, dy dx}{\displaystyle\iint_{D} dy dx}$, $\quad \overline{y} = \dfrac{\displaystyle\iint_{D} y \, dy dx}{\displaystyle\iint_{D} dy dx}$

3차원에서의 중심 $(\overline{x}, \overline{y}, \overline{z})$:

$\overline{x} = \dfrac{\displaystyle\iiint_{V} x \, dz dy dx}{\displaystyle\iiint_{V} dz dy dx}$, $\overline{y} = \dfrac{\displaystyle\iiint_{V} y \, dz dy dx}{\displaystyle\iiint_{V} dz dy dx}$, $\overline{z} = \dfrac{\displaystyle\iiint_{V} z \, dz dy dx}{\displaystyle\iiint_{V} dz dy dx}$

1) 영역 $D : 1 \le x^2 + y^2 \le 4, \; y \ge 0$의 중심좌표

$Ans. \; (\overline{x}, \overline{y}) = \left(0, \dfrac{28}{9\pi} \right)$

2) $V : x^2 + y^2 + z^2 \le 1, \; z \ge 0$의 중심좌표

$Ans. \; (\overline{x}, \overline{y}, \overline{z}) = \left(0, 0, \dfrac{3}{8} \right)$

3) $R : (x-3)^2 + (y+2)^2 \le 4$ 일 때, $\displaystyle \iint_R (3x - 4y) dy dx = ?$

$Ans. \; 68\pi$

16성대

4) 좌표평면 위에 곡선 $x = y^2 - 2y$와 직선 $y = x$에 의하여 둘러싸인 영역을 S라고 하자. $(\overline{x}, \overline{y})$를 S의 무게중심의 좌표라 할 때, $\overline{x} + \overline{y}$의 값은?

① $\dfrac{12}{5}$　② $\dfrac{23}{10}$　③ $\dfrac{11}{5}$　④ $\dfrac{21}{10}$　⑤ 2

*Ans.*④

15성대

5) 좌표평면 위의 세점 $(0, 0), (2, 0), (2, 3)$을 꼭짓점으로 가지는 삼각형 내부영역을 S라고 하자. $(\overline{x}, \overline{y})$를 S의 무게중심의 좌표라 할 때, $\overline{x} + \overline{y}$의 값은?

① 2　　② $\dfrac{7}{3}$　　③ $\dfrac{8}{3}$　　④ 3　　⑤ $\dfrac{10}{3}$

*Ans.*②

14성대

6) 사분원 $x^2 + y^2 = 1\,(x \geq 0, y \geq 0)$의 모양으로 휘어진 얇은 철선의 무게중심의 x좌표는?
(단, 철선의 밀도는 일정하다)

① $\dfrac{1}{2}$ ② $\dfrac{2}{\pi}$ ③ $\dfrac{3}{5}$ ④ $\dfrac{5}{2\pi}$ ⑤ $\dfrac{2}{3}$

*Ans.*②

19아주

7) 평면상의 영역 $\{(x,y) : x^2 + y^2 \leq 4, (x-1)^2 + y^2 \geq 1\}$의 무게 중심의 좌표는 $(a,0)$이다. 이 때 a의 값은?

① $\dfrac{1}{2}$ ② $-\dfrac{1}{2}$ ③ $\dfrac{1}{3}$ ④ $-\dfrac{1}{3}$ ⑤ 0

*Ans.*④

17광운

8) 영역 $Q : x \geq 0, y \geq 0, z \geq 0, x+y+z \leq 1$에서 $\iiint_Q x\,dV$의 값은?

① $\dfrac{1}{12}$ 　　② $\dfrac{1}{24}$ 　　③ $\dfrac{1}{36}$ 　　④ $\dfrac{1}{48}$ 　　⑤ $\dfrac{1}{60}$

*Ans.*②

9) 반원 $\left\{ (x,y) \mid 0 \leq y \leq \sqrt{9-x^2} \right\}$ 모양의 판의 무게중심의 좌표는?

Ans. $\left(0, \dfrac{4}{\pi} \right)$

10) 영역 D는 $(0,0),(2,0),(0,2)$이 꼭짓점인 삼각형의 내부라 할 때 $\displaystyle\iint_D y\,dxdy$및 $\displaystyle\iint_D x\,dxdy$를 구하라.

Ans. $\dfrac{4}{3}, \dfrac{4}{3}$